49 明代

西元1368～1643年 〔注音本〕

全新 吳姐姐講歷史故事

吳涵碧◎著

目錄

【第1030篇】王世貞換穿囚衣。

楊繼盛因爲彈劾嚴嵩被殺，在朝廷之中，人們普遍的同情楊繼盛。刑部兩個官員審理這件案子時，忍不住爲楊繼盛講了一兩句公道話，結果一個被貶官，一個下了監牢。

侍郎王伃因爲同情楊繼盛，使嚴嵩懷恨在心，找了藉口，逮入監獄，欽定爲斬刑。王伃的兒子王世貞是明朝有名的文學家，被列爲後七子，又是明朝文藝青年心目中四大偶像之首，他與弟弟王世懋日日夜夜守在嚴嵩家門口。嚴嵩跑出來，假意安慰他們一番，又加緊陷害王伃。

王世貞兄弟急了，跑來找徐階。徐階兩手一攤，非常抱歉的說：『對不起，我也愛莫能助，你們節哀順變吧！』

王世貞好傷心，走出來對弟弟世懋說：『難怪楊繼盛批評徐伯伯是負國之臣。』

王世貞不甘心，和弟弟換上了囚衣，跪在道路旁邊向大臣們叩頭請教：『請問有什麼辦法可以營救我父親？』

大臣們都怕死了，紛紛走避，或繞道而行。凡是忤逆嚴嵩，只有死路一條，誰敢仗義執言呢？

王世貞跪在道路旁邊，用力捶著地面，哀聲哭泣道：『難道現在就沒

犯

有包青天了嗎？』

第二年冬天，王忬被斬於西市。

這些情景，徐階看在眼裡，痛在心裡，但是他連多安慰王世貞兄弟兩句都不敢。徐階非常明白當前環境惡劣，明世宗器量狹小，自私糊塗，嚴嵩一手遮天，陰險歹毒，他只有放低姿態，順其自然，能爲國家做多少算多少。

徐階原是夏言推薦給嚴嵩的。嚴嵩是何等聰明人，他當然能察覺，徐階跟他是不一樣的人。不過徐階總是面帶微笑，小心誠懇。所謂『伸手不打笑臉人』，嚴嵩一下子還找不到徐階的差錯。

有一回，嚴嵩請徐階吃飯，地點是嚴府的『聽雨樓』。聽雨樓這三個字十分古雅，這是嚴嵩寶貝兒子嚴世蕃鑒賞書畫古董的東樓，嚴世蕃自己取了一個別號就叫東樓。

嚴嵩在京城裡新建一府第，面積之大，連接三四個坊。明朝的京師，地名分爲坊、牌、鋪。一坊的面積十分廣闊，嚴府占地約有四十間房舍。另外，嚴嵩還在府第前，修了一座大花園，並且動工開鑿出一片數十畝的人工湖。花園中珍禽奇樹應有盡有，走入門內，只見雕樑畫棟，峻宇高牆，巍峨壯麗，連皇宮都給比了下去。

嚴世蕃站在『聽雨樓』前，拍著肚皮笑呵呵道：『朝廷也不如我富有，就是我家僕人嚴年，小老頭徐階你也趕不上啊！』

徐階因爲個子比較矮小，嚴世蕃就叫他小老頭，嚴世蕃因爲自己瞎了一隻眼睛，心裡不平衡，所以專在人家外表上諷刺，不論是長輩或是臣僚，人人逃不過他的愚弄。

嚴世蕃對父親嚴嵩也是沒大沒小，毫無禮貌，他對徐階說：『我老爸不能一天沒有我。』

這句話倒是真的，嚴世蕃的確是一個鬼才，很有小聰明。明世宗的御札，其中有不少隱語，這些隱語誰都看不懂，奇怪的是嚴世蕃都能一目了然。

嚴世蕃摟著徐階的肩膀道：『小老頭，今晚多喝幾杯吧！』

嚴嵩心中也不喜歡徐階，很高興兒子整一整徐階，也一拍徐階道：『今晚不醉不歸。』

徐階文雅的笑一笑：『當然，當然。』他有度量有本事把一切不滿放在心中。

徐階知道，一時之間扳倒嚴嵩不容易，但是他相信因果，也相信『多行不義必自斃』的道理。嚴嵩父子壞事做多了，總會遭報應的。

徐階曾經歷練十年的外省漂泊，回到中央，擔任國子監祭酒、禮部右侍郎，又改任吏部侍郎，官運亨通。他和一般高官有一點很不一樣，他不要部下送禮，也不會高高在上，好官我自爲之。

徐階很喜歡和部下聊天，彼此和朋友一般，尤其是邊疆官吏或是地方官吏前來聊天，總是一聊一個晚上。他殷殷詢問各地的情形，並且鼓勵大家：『好好努力啊！多爲國家盡一分力量啊！』

朝廷官員在受到明世宗、嚴嵩壓迫之時，竟然能得到徐階正面鼓勵，心中十分溫暖，都希望能追隨在徐階身旁。當然，徐階記取了夏言的教訓，夏言爲皇帝寫給上天的青詞不用心，明世宗認爲妨礙了他追求長生不老之道，因此徐階小心在青藤紙上寫青詞，措辭華美，對仗講究，裝滿了虛渺飄忽的學問，讓明世宗大爲滿意。他也才能夠暗暗爲朝臣們做一點事，並且等待時機，打擊嚴嵩。

閱讀心得

【第1031篇】嚴嵩妻子的悔恨。

嚴嵩父子禍國殃民充分享受了權力的滋味。嚴嵩的妻子歐陽氏原先也陶醉在官夫人的癮頭。但是，畢竟嚴嵩壞事做多了。久而久之，歐陽氏開始害怕起來，於是開始吃齋拜佛，希望能消除罪孽。

歐陽氏開始接觸佛法之後，心中愈發不得安寧，只要一想到『善有善報，惡有惡報，不是不報，時候未到』，她就會全身寒顫，也逐漸後悔。她的確把嚴世蕃這一個寶貝兒子寵壞了，將來不堪設想。

因爲日夜憂愁，歐陽氏病倒了，嚴嵩找了所有名醫診治，誰又能醫得了她的心病呢？

歐陽氏臨終前，語重心長的對嚴嵩說：『我生病以來，世蕃從來沒來看過我，我並不在意他是不是孝順，只是我擔心，他再不收斂，恐怕大禍臨頭，你得好好管教他才是啊！』

一向精明厲害的嚴嵩，面對妻子的死亡，也有撐不下去的無力感，嚴嵩對著奄奄一息的歐陽氏道：『你放心，我會好好教導世蕃的。』

『那我就放心了。』歐陽氏闔了眼睛，安詳的走了。

嚴嵩放聲大哭，突然覺得自己是多麼的孤單無依，他雖然手握無限大權，但是沒有一個朋友，舉目全是敵人。誰敢相信他，他又怎敢相信任何

一個人？老妻走了，他也八十出頭了，精力不比當年，他只能依賴獨子嚴世蕃。

依照中國人的規矩，歐陽氏死了，嚴世蕃必須服喪三年。服喪又稱爲『丁憂』『丁艱』或是『守孝』。守喪三年內，不僅不能夠出外做官應酬，也不能居住在家中，要在父母墳前搭起一座小棚子，睡草蓆，枕磚塊，粗茶淡飯，不吃肉，不喝酒，不聽音樂，不洗澡、不剃頭、不更衣。如果丁憂期間出來做官，不僅官做不成，還會遭受朋友恥笑。

所以古代官場，最怕碰到父母死亡。這一守孝就是三年，三年後能不能順利回到官位，就得憑運氣了。嚴世蕃如果守孝三年，嚴嵩就慘了。因爲嚴嵩往往猜不透明世宗御札中的意思，只有鬼腦筋的嚴世蕃能摸得透皇帝的心思。

所以嚴嵩以『獨子』爲理由，請求皇帝恩准嚴世蕃可以不必守孝，留在身邊照顧老爸爸。

明世宗答應了。嚴嵩改派孫子嚴鵠護送祖母的靈柩回到江西老家安葬。嚴世蕃雖然留在京師，到底是喪服在身，不能入宮當嚴嵩的槍手。這下子嚴嵩可傻了眼。

每一回，當明世宗交下御札，嚴嵩看不懂，只得請人趕快把御札送回家，請世蕃幫忙。嚴世蕃卻趁守孝期間大肆飲酒作樂，經常找不到人，有時找到了，嚴世蕃也只是隨隨便便亂答一通。

嚴嵩在宮內急得跳腳，皇帝又催得急，只好自己上陣。明世宗發現嚴嵩答得文不對題，牛頭不對馬嘴，不免光火。有時候，嚴嵩原已覆奏，一會兒嚴世蕃的回信到了，又趕緊把覆奏追了回來。弄得章法大亂，一塌糊塗。

明世宗發現情況不對，氣得吹鬍子瞪眼睛，小太監藉機落阱下石，看見嚴嵩似乎恩寵漸衰，猛講他的壞話，尤其嚴世蕃守喪期間，飲酒作樂這一段，大大描寫一番。

明世宗一向最孝順母親的，一聽這些話，幾乎跳了起來，拍著茶几道：『這還像一個人嗎？』

嚴嵩回到家裡，千拜託，萬拜託，希望兒子幫幫忙，別害了老爸爸。嚴世蕃已經被寵慣了，捧壞了。他口中說：『是，是。』卻依然故我。嚴嵩聰明一世，卻無可奈何。

嚴嵩老了，聰明機智也彷彿用盡了。徐階知道，機會逐漸靠近，但是得慢慢來，到底嚴嵩是老狐狸，薑是老的辣，嚴嵩不是輕易能打倒的。

徐階知道，皇帝最信乩仙，所以他藉機扶乩慢慢攻入明世宗的心防。

一回，明世宗問藍道行：『天下爲什麼治理不好？』

藍道行假藉扶乩，大大數落了嚴嵩父子的罪狀。

明世宗又問：『果眞如此，爲什麼不會遭到天譴？』

明世宗這話問得有理，如果沒有天理，似乎也不必敬奉天了。

藍道行答得妙，這是上天要讓陛下去誅他。

明世宗一聽飄飄然。雖然上天很看重他，他卻忘記了，誰重用嚴嵩，是不是也該受到天譴？

閱讀心得

【第1032篇】

明世宗喬遷之喜。

奸臣嚴嵩八十多歲，垂垂老矣，妻子歐陽氏的去世，給嚴嵩帶來沈痛的打擊。歐陽氏臨死前，再三懇切拜託嚴嵩，必須好好管教兒子嚴世蕃。但是，只有嚴世蕃這個鬼靈精能夠猜透皇帝的心思，除了嚴世蕃，誰也解不開謎，嚴嵩又怎麼管訓兒子呢？他依賴兒子都來不及啊！

嚴嵩的專長是察言觀色，馬屁功夫一流。不過，拍馬屁是一件非常辛苦的事，必須全神貫注，努力迎合，尤其明世宗器量狹小，脾氣古怪，稍微一點兒不順心，馬上大吼大叫。

有一回，明世宗居住的永壽宮突然間起了大火。雖然明世宗沒有受到傷害，但是被嚇了一大跳。世宗一向是個迷信的人，看到燒焦枯黑的樑柱，心中很不舒服，所以就遷到玉熙殿，但又嫌那兒太狹隘。

明世宗把嚴嵩找來問話：『你看看，這個樣子還能住得下去嗎？』

嚴嵩不假思索道：『請陛下暫時居住南城。』

『什麼？你說什麼？你要朕住到南城？』明世宗眞是火大了。

所謂南城，明成祖永樂時稱爲東苑，後來又改名爲崇質殿，俗稱南城或是南宮。南宮有一段不愉快的往事。

明朝英宗正統十四年，瓦剌入寇，英宗是一個少不更事的年輕皇帝，接受宦官王振的建議，效法明成祖的威武精神御駕親征，偏偏又沒有明成祖的本事，帶了五十萬大軍，不到一個月功夫一敗塗地，明英宗在土木堡灰頭土臉被俘。這一段歷史稱爲『土木堡之變』。

國不可一日無君，明朝在于謙的指揮下，立了明景宗，遙尊英宗爲太上皇，這個可憐的太上皇就被瓦剌挾持，進攻大同等地，但是于謙不上當，他主張『社稷爲重君爲輕』。後來瓦剌覺得挾持一個中國皇帝，沒有利用價值，又把明英宗給送了回來。

明英宗回來了。但是明朝已經有了新君明景帝，明英宗只好言不由衷的對弟弟景帝道：『我能回來，已經是萬幸了，你做天子，比我做得好，我從此退隱南宮吧！』

南宮位在太廟西邊，粉牆黑瓦，樹木蓊鬱，如果是愛清靜的人，在這兒絕對可以得到安歇。明英宗可不是，他當了一年俘虜，坐在草蓆上，捧著破木碗，住在帳篷裡，幾乎快要崩潰了，好不容易回到了皇宮，原想重新過著錦衣玉食的生活，怎堪被安置在南宮？

南宮改名爲『崇質』宮，顧名思義，就是崇尚質樸；明英宗可不喜歡質樸，他喜歡金碧輝煌，光彩亮麗。明英宗被俘一年之中，他的錢皇后因爲哀傷過度，哭瞎了一隻眼睛，瘸了一條腿，明英宗看了更是一肚子不高興，哀哀歎氣道：『難怪人們稱南宮爲黑瓦，眞是一片漆黑。』

這一段歷史，明世宗非常清楚，他每次走過南宮，就把眼睛朝別處望，唯恐看了一眼，就會帶來霉運。今天嚴嵩竟然要他搬到黑瓦去，他眞

是生氣了。

明世宗揚起眉毛問：『你難道忘記這是英宗當太上皇時候所住的地方，不嫌忌諱嗎？』

嚴嵩趕緊改口：『那麼，請萬歲爺還大內。』這就是說，請皇帝住回乾清宮。這下子，明世宗更氣得喉嚨呼嚕呼嚕作響了。乾清宮比起南宮，更是明世宗所嫌惡的地方。由於明世宗平日虐待后妃宮女，嘉靖二十一年，楊金英等宮女聯合預謀掐死皇帝，若不是明世宗命不該絕，楊金英的繩子應該打個活結，竟然錯打成了死結，明世宗早就見了閻王爺。

因此，明世宗再也不肯住在大內，他晚上睡覺時常夢到有人掐他的脖子。這一回，嚴嵩竟然要他搬回大內，明世宗搖搖頭道：『我看你眞是昏了頭，你忘了楊金英想掐死朕嗎？聽說那兒還鬧鬼的。』

『虧你想得出這麼好的建議。』明世宗龍袍一甩，氣咻咻的走開了。

明世宗又把徐階找來問話，徐階稍微思索一下道：『據我所知道，目前三殿剩下的木材可以建造一座新的宮殿。』

明世宗一向小器，聽說有現成的木料，龍心大悅，他追著問：『那麼要多久可以完工？』

『趕一趕的話，大概幾個月吧！』徐階小心的回答。

『太好了，交給你辦！』明世宗十分興奮。

於是，明世宗命徐階的兒子徐瑛擔任工部主事。徐階父子日夜趕工，終於在三個月之中，大功告成，明世宗開開心心遷入，命名爲『萬壽宮』。

閱讀心得

【第1033篇】鄒應龍的妙計。

明世宗的永壽宮失火，徐階利用過去剩下的木材，在一百天之中建造了萬壽宮，於是嚴嵩失歡，徐階受寵，朝中正直之士受鼓舞。

有一天，御史鄒應龍下朝，正遇著黃梅天下大雨，他沒有帶傘具，信步走到一個太監家避雨，太監捧出熱茶，笑哈哈的對鄒應龍說：『最近藍道行假乩仙之口，說了不少嚴嵩的壞話。』

『嗯，那萬歲爺怎麼表示？』鄒應龍眉毛一挑，極有興趣的追問。

太監眉開眼笑道：『萬歲爺沒說什麼，不過顯然心動了。』

鄒應龍心想，機會來了，所以雨歇之後，他直奔老師徐階家密談，鄒應龍想寫一篇奏疏，彈劾嚴嵩父子。

徐階緩緩道：『以前楊繼盛犧牲了，後來吳時來也在前兩年上疏彈劾沒有效果。不過依我觀察，現在時候到了，我贊成你寫，但是注意，重點放在嚴世蕃，而不是嚴嵩。』

鄒應龍站了起來，長長一作揖道：『這一著高，到底老師見識不凡，嚴世蕃垮了，就等於一座傾頹的樓房，只要砍掉一根柱子，自然應聲而倒。』

『沒錯！』徐階進一步分析道：『萬歲爺最注重外表，嚴世蕃其貌不揚，動作粗魯，又瞎了一隻眼睛，因此他只能幕後操刀，不能上得檯面。萬歲爺最重視孝道，嚴世蕃母喪期間吃喝玩樂，萬歲爺每次提起來就罵個不休，你要掌握這個要點，也順便保護自己，免得又被嚴嵩給害了。』

鄒應龍由衷的說道：『謝謝老師的教誨，學生也深深欽佩老師的用心與細密。』

徐階語重心長道：『我讀史書常常慨嘆，爲什麼老是小人得逞，君子遭殃。後來我領悟出一個道理，原來君子總是坦坦蕩蕩，認爲自己在做好事，難免許多地方疏忽。小人則不然，小人知道自己做的事見不得人，因此小心仔細周密。事實上，要成就一件好事比做一件壞事，更需要一顆細膩的心，才能爲國家爲社會盡一分力量。』

這一番話說得鄒應龍為之動容，因此他下筆時考慮再三，把重點全放在嚴世蕃身上，批評他：『憑著父親的關係，廣收賄賂，造成風氣敗壞，例如刑部主事項治元送了一萬三千兩黃金轉任吏部，又舉人潘鴻業用兩千兩百兩黃金得到知州，並且在南京、揚州大肆購買良田美宅數十所，尤其是嚴世蕃母喪之後，竟然飲酒作樂通宵達旦。』

最後，鄒應龍聽了徐階老師的話，建議：『請斬嚴世蕃，懸掛於市場，讓世人有所戒惕。』至於嚴嵩，其實是罪魁禍首，鄒應龍卻建議：『嚴嵩溺愛惡子，管教無方，應放歸田里。』

這時候，正當嘉靖四十一年五月，正是明世宗厭惡嚴世蕃，卻又憐惜嚴嵩的時刻，所以明世宗下令嚴嵩退休，嚴世蕃則下大理寺獄。

徐階心思細密，他知道，百足之蟲死而不僵，嚴嵩父子沒有那麼輕易就會被扳倒的，鄒應龍的奏疏呈上去以後，徐階反而親自前往嚴府慰問。嚴嵩一見徐階來了，老淚縱橫，並且拉著嚴世蕃，叫出所有家人，四面圍住徐階，一塊下跪，同聲哭泣：『以後我們嚴家全靠徐老你搭救了。』

徐階急忙扶起了嚴嵩，口中不斷的說：『言重了，言重了，能效勞的地方，我一定幫忙。』

走出了嚴宅，徐階心想：『眞是歷史是不斷重演的，想當初夏言夏老師曾經彈劾嚴嵩，嚴嵩知道以後，帶著兒子嚴世蕃跑到夏言家中，父子兩人跪在夏言面前痛哭哀求，夏言心軟，答應不再彈劾，結果嚴嵩父子不但沒有改過，反而設計害死了夏言。』有了前車之鑑，徐階格外的小心謹慎。

徐階回到家中，他兒子徐瑛奔了出來，非常興奮的說：『這下好了，父親受夠了嚴嵩父子的窩囊氣，尤其是嚴世蕃，老是捉弄你，欺負你，這叫天理報應，活該！』

徐階立刻扳起臉來，推了兒子徐瑛一把：『你懂什麼，我是靠嚴家才有今天，你不許再亂說話！』

徐瑛聽了，覺得萬分委屈，低著頭走開了，他不明白，父親爲什麼這麼膽小怕事，缺乏擔當。

徐階望著兒子的背影，他明白兒子的想法，但是他更知道，環境惡劣，想要徹底剷除嚴嵩父子，為民除害，還有一段辛苦的路程要走。

閱讀心得

【第1034篇】二龍不相見。

由於鄒應龍提出彈劾，壞事做盡的嚴嵩，被明世宗下旨奪去一切官職，趕回江西老家，把嚴世蕃謫戍雷州。朝野人心大快，個個都說：『終於老天有眼。』

唯有心思細密的徐階不以爲然，他告訴自己：『好事多磨，這件事沒那麼簡單，不過時候快到了。』

果然不出徐階所料，嚴嵩一離開，明世宗就開始悶悶不樂鬧情緒。雖然明世宗知道嚴嵩做了不少非法的事，到底嚴嵩在他面前永遠甜言蜜語，小心周到，百般巴結，把他伺候得相當舒服。

明世宗氣惱的說：『朕不如退位，去尋求長生不老之術算了。』

明世宗講的是氣話，也是笑話。他不上朝，可也把皇帝寶座坐得牢牢的。別說是退位，連立太子都是明世宗最不願意的，這其中還有一段故事。

古代天子的寶座是神聖不可侵犯的，所以皇帝和太子之間存在一種敵意，不容易像一般父子親密。明世宗特別小器，自然這種排斥心理格外強烈。

道士陶仲文看出明世宗的心思，所以他提出『二龍不相見』的說法，勸明世宗不要早立太子。到了嘉靖二十八年，明世宗拗不過母親蔣太后的意思，終於舉行太子加冠禮。不料過了兩天，太子就死了。

陶仲文早就說過：『太子有仙氣，不是一般常人。』譬如太子一見到明世宗就會下跪道：『兒不敢。』又常常舉起手來，非常認真的說：『天在上。』

太子不喜葷食，總是吃素，也不喜愛華麗衣著。他臨死時的情形也很奇怪，他突然從床上爬了起來，向北邊拜了一拜說：『兒去了。』一會兒就坐著死掉了，似乎真是羽化登仙。

太子英年早逝，似乎『二龍不相見』的預言不假，明世宗不願意再失掉兒子。這一回明世宗比兒子命硬，兒子死了，下一回如果是兒子剋死了自己，這更是明世宗所不願意的。所以，自此以後，明世宗不許任何人再提立太子之事。可是立太子是國本所在，直接影響到朝政的穩定，朝廷內外都十分關切。

嘉靖三十九年，郭希顏上書，請求立裕王爲太子，明世宗大怒，以『妖言』的罪名處死郭希顏。明世宗心病太重。爲了避免『二龍不相見』，他和裕王極少見面，甚至裕王生了兒子，也沒人敢報告世宗；他要是知道『三龍出現』，更要氣得跳腳，像明世宗這麼嫌惡兒孫的人還眞少見。

因此，這一回，明世宗吵著要退位，根本是演戲。徐階説盡了好話，明世宗才答應繼續當皇帝。不過，他憤憤的丟下了一句話：『如今嚴嵩已

經退休，他兒子嚴世蕃也已經獲罪。誰要敢再多言，與鄒應龍一般的，那朕就一起斬了他。』

明世宗身旁的太監，其中有不少是嚴嵩的耳目。嚴嵩很快就得到情報。他認爲，翻身的機會來了，於是派人揭發道士藍道行的罪狀，說藍道行的法力是騙人的，說他收了不少紅包。明世宗大怒，派人逮捕藍道行。

這時，藍道行正在閱讀道教的經典《太上感應篇》，這是北宋末年的道教典籍。藍道行其實沒有什麼法力，他都是勾結宦官，探聽明世宗身邊瑣事，才能活靈活現的。

《感應篇》書中文字很短，主要就是說，禍福無門，都是一個人自己找來的，善報惡報，如影隨形不能不小心，種瓜得瓜，種豆得豆，世界上的人不曉得，以爲某人善得惡報，惡得善報，其實有時是報在子孫。一個人要求天仙，得立一千三百個善，一個人要求地仙長生不老，得行三百個善。

這一天，藍道行正在讀『是以天地有司過之神，依人所犯輕重，以奪人算。』意思是說，一個人一生之中，日夜時刻，上下四旁，都有鬼神一旁觀察，看看這人犯的罪，決定他的壽命與衣食享受。藍道行正擔心，他做了不少虧心事，該不會被鬼神知道吧！年紀大了，想到這一層就心中發毛。

突然，『砰砰砰』有人敲門，藍道行有一個直覺：『糟了，鬼神曉得我做的壞事了。』果然，差役把藍道行抓走了，藍道行閉上眼睛笑道：

『善惡之報，如影隨形。』『唉，應該來的就是會來的。』

藍道行到了獄中，嚴嵩派人來說：『只要你把所有過錯推到徐階身上，一切無事。』藍道行可不敢相信嚴嵩的保證，再說徐階是個好人，也是朝廷中唯一可以和嚴嵩相抗的人，他還是積點陰德吧！所以，藍道行應訊時，大聲的說：『去除貪官自是皇上本意，糾舉貪罪，自是御史本職，與徐閣老一點關係也沒有。』徐階一心爲國，果然到處有人暗中協助啊！

閱讀心得

【第1035篇】

嚴世蕃開溜。

嘉靖四十一年，明世宗終於下令，命嚴嵩退休，回到江西老家，他的逆子嚴世蕃也發遣雷州，看起來這一對父子總算下臺一鞠躬了。朝廷內外都一片歡欣鼓舞。

唯有徐階，自從嚴嵩離去，就非常勤快的與嚴嵩通信往返，徐階的兒子徐瑛看不過去，忍不住抗議道：『嚴嵩是個奸臣，又三番兩次加害爹爹，根本用不著寫信給這個混蛋。』

徐階不說話，把嚴嵩回信的信封遞給了徐瑛。徐瑛翻來瞧去，沒看出任何名堂，他撇撇嘴道：『字倒是寫得很美，不過心腸太醜陋了！』

徐階微微一笑，對著一臉正氣的兒子說：『你發現沒有？他現在住在南昌，而不是他老家分宜。』

『這有什麼關係？』徐瑛完全不懂。

『這關係可大了，分宜是鄉下地方，不如南昌馳驛往來頻繁交通方便，可見他還是積極與京城保持聯絡，希望東山再起啊！』徐階緩緩的分析道。

『有這種可能嗎？』徐瑛不相信，一會兒徐瑛自己抓抓腦袋：『嗯，當年夏言夏伯伯回鄉兩年，後來萬歲爺又把夏伯伯找了來。』

徐瑛睜大了眼睛瞪著徐階道：『難道嚴嵩可能再回到朝廷？太可怕了吧！』

徐階痛苦的閉上眼睛道：『難以預言，不能不防。』

『難道就沒有辦法一舉剷除嚴嵩父子二人嗎？』徐瑛非常不服氣。

徐階輕輕說了一句：『順其自然吧！我還要寫信，你先去睡吧。』

徐瑛望著燭下的父親，他第一次了解父親的細密。但是他還是覺得父親多慮了，太操心了。他對徐階說：『爹，我有時候覺得，你想得太多啦！』

徐階回報兒子一個溫暖的淺笑，沒有答腔。

徐階猜得不錯。嚴嵩不死心的又玩了一個新花樣。

嚴嵩到了南昌，赴鐵柱觀遊玩，發現了一個道士藍田玉很不錯，藍田玉自吹自擂，他有一項特殊本領，他寫了一個符之後，天上就飛來一隻鶴。

『有這種事？』嚴嵩十分好奇。『試試看吧！』

結果，藍田玉不是吹牛。嚴嵩試寫同樣符籙，果然天上也飛來一隻鶴。

明世宗一向喜愛吉祥神祕的東西。嚴嵩大喜過望，把符籙寄去給明世宗，並且可憐的哀求說：『臣今年八十四歲了，只有一個兒子世蕃。哪一天我兩腿一伸上西天，誰爲我辦理後事？希望放我回京城。』嚴嵩相信，

他一定能如願。

不料，明世宗見到藍田玉的名字，馬上想到剛剛處死的藍道行，心中一股嫌惡之氣油然而生。因此，他沒答應嚴嵩，並且提醒他：『你身邊還一個孫子嚴鴻可以照料你，朕對你已經十分寬大了。』

嚴嵩悻悻然，但是他不會死心，他仍然會想辦法，他還有一線希望就是寶貝兒子嚴世蕃。

嚴世蕃被發配到了雷州，那是廣東極南邊的地方。他走到了一半，竟然折回江西，既不到老家分宜，也不到父親住的南昌，就在袁州住了下來，也不與父親聯絡，嚴嵩也不清楚這個兒子意圖何在。

嚴世蕃有一個心腹羅龍文，也被充軍，並在半途開溜，膽大包天的回到了徽州。

羅龍文一次醉後大叫大嚷：『我總有一天要取徐階、鄒應龍兩個人的腦袋，才消這口氣。』

羅龍文的話，傳到了京師。徐階聽到以後出入小心，警備森嚴，隨時當心有人行刺。

嚴世蕃要殺徐階的事，傳到了嚴嵩耳中，這眞是非同小可的震驚。

嚴嵩對孫子嚴鴻道：『你爸爸眞要害死我，天下哪有報仇到處嚷嚷的呢？想唐朝時，唐憲宗的宰相武元衡全力對付跋扈的節度使，於是節度使派出刺客，一大早擄掠武元衡，拉到暗處，把他給殺了，還砍下頭顱。節度使原以爲這樣做可以威脅朝廷。結果，唐憲宗生了氣，認爲自古沒有宰相橫屍路邊，這是國家的恥辱，果然逮捕到了刺客。』

嚴鴻一聽背脊也一陣發涼：『徐階眞有三長兩短，我們全慘了。』

嚴嵩點點頭，祖孫二人陷於深長的悲哀之中。

閱讀心得

【第1036篇】

嚴世蕃建新宅。

奸臣嚴嵩被迫告老還鄉，嚴嵩兒子嚴世蕃發配雷州。嚴世蕃膽大包天，竟然中途開溜，跑到了江西袁州，並且揚言要殺徐階。

徐階知道嚴世蕃不是說著玩的，因此日夜小心謹愼。徐階的兒子徐瑛對此大不以爲然，而且他也得跟著提心吊膽。所謂父債子還，搞不好嚴世蕃拿他開刀洩憤。

徐瑛不斷的問徐階：『爹，嚴世蕃以前就欺負你，他被發配雷州，自己卻溜到江西！這個人簡直是目無王法，爲什麼你不下令捉拿嚴世蕃？』

徐階只回答了兩個字：『隨時。』

『「隨時」是什麼意思？』徐瑛不滿意。

徐階不再回答，依舊按時寫信給嚴嵩。

徐瑛對父親的態度深以爲羞。他心想：『難怪楊繼盛批評父親是負國之臣。』

爲了激發徐階的膽量，徐瑛找了父親徐階一向敬重的李老伯來相勸。

李老伯沒讀過什麼書，但是深明大義，平素就最痛恨嚴嵩父子膽大妄爲。

李老伯再三對徐階強調：『徐老，你得拿出勇氣和決心來啊！長痛不如短痛，這件事非解決不可。今天你捉拿嚴世蕃，理在你這一邊，全天下的人都支持你。我不明白，你這樣拖拖拉拉，究竟要等到什麼時候？』

徐階望了李老伯一眼，平靜的回答：『順其自然。』

『順其自然？』李老伯火了，霍地自椅子上站了起來，指著徐階罵道：『過去人家批評你沒膽，我還替你辯護。現在嚴世蕃找人來殺你，你還蓋著被子裝死！算我李某人不認識你這個膽小鬼，拿不起放不下，哼！』說著李老伯怒氣沖天的走了。

徐瑛對父親眞是失望透頂，他甚至猜想：『莫非就像人們私下議論，父親有把柄在嚴嵩手中，所以不敢對付這對父子？』

徐瑛不死心，見了父親就要重複再三，不能再拖了，趕快採取行動吧！

徐階總是不吭聲。為了避免父子反目，徐階開始避著兒子，或是不痛不癢的講一些家常，每當徐瑛要開口提到嚴嵩父子，徐階便把話岔開。

徐瑛眞是悶死了，連睡覺都不安穩，他恨不得代替父親，親自前往袁州捉拿嚴世蕃。

另外一方面，嚴世蕃正樂著，他得意洋洋道：『看吧！萬歲爺當然知道我在江西，沒在雷州。他還是戀舊，幸虧我沒這麼傻。雷州是個鬼地方，宋朝時，蘇東坡的弟弟蘇轍就被貶到雷州，受到當地老百姓欺負，我才不去！』

嚴世蕃又開心的說：『徐階徐老頭心腸不如我毒，換了我是他，我早下手了。這個小老頭沒膽，當年我灌他酒，他嚇得屁滾尿流，我就看不起

他。』

由於嚴世蕃這樣張狂，他手下的人也學著主人樣兒，把當初在京城裡那一套又給搬了出來。嚴世蕃過去搜括太多，因此手上金銀財寶仍有一堆，他一向喜愛奢華，注意排場，到了袁州，雖然仍然是豪宅，卻覺得不夠氣派。

嚴世蕃決心造一座新宅。他一向性子急，最好今天上午想要，到了晚上就蓋好了。事實上這是不可能的，唯一的辦法就是多增添人手。嚴世蕃仗著自己有錢，竟然用了四千多人造房子。

有一天，掌理袁州司法的推官郭諫臣經過工地。嚴家僕人不認識他，就是認識了也不會把小小推官放在眼裡，照樣蹲在一旁嘻嘻哈哈。

一個正在造園的工匠突然興起，拿起一顆小石頭扔向郭諫臣，郭諫臣機警的一閃，躲過小石子。

另一個工匠覺得好玩，也順手拿起一顆小石子，扔向郭諫臣，不偏不倚投中鼻子。郭諫臣十分惱怒，大聲喝道：『無禮！』

這時，嚴府的惡僕站了起來，雙手扠腰道：『無禮又怎樣？』並且彎下腰來，抓了一把土，撒向郭諫臣。郭諫臣整個人變得灰撲撲的，臉上、身上都沾滿了塵土，模樣十分狼狽，工匠、僕人笑成一團。

這時有路人上前，對僕人輕聲說：『這是袁州推官郭大人。』

嚴府惡僕頭一揚道：『郭大人又怎樣？京裡多少響叮噹的大官，等在我家主人門口，動也不敢動。這個郭小人，他想怎樣？』

郭諫臣一語不發掉頭就走，背後嚴府惡僕、工匠笑個不停。

閱讀心得

【第1037篇】

林潤敢作敢為。

奸臣嚴嵩之子嚴世蕃，被朝廷發配雷州，他竟然中途開小差，溜到了江西，一面揚言要殺害徐階，一面大起豪宅，嚴世蕃的僕人還打傷了袁州推官郭諫臣。

郭諫臣灰頭土臉回到家中，氣得發抖，他身為推官，誰看了都嚇得手心出汗，今天竟被嚴府惡僕侮辱，那個瘦括括，黃漬漬，嘴邊幾根老鼠鬚的家丁竟然說：『哼，郭大人又如何，郭小人又如何？』郭諫臣心想：這口氣我如果嚥了下去，我在袁州也沒法兒混了。

因此，當夜郭諫臣就連夜寫信，向南京御史林潤告狀。林潤是個鐵錚錚的漢子，一向敢作敢爲，長得一副清貴的相貌，氣度高華，尤其是那一雙眼睛，不怒而威，任何人見到他，就會自然浮起信賴的感覺。

林潤接到密報，加上平日巡訪所得，上了一個報告給明世宗：『臣巡視上江，遍訪江洋大盜，發現全逃入了嚴世蕃、羅龍文家，兩人日夜誹謗朝政，搖惑人心，並且以造宅爲名，聚集四千勇士，凡經過道路的人無不心生恐懼，恐怕未來會發生不測，應當早日處理，免得生禍。』

明世宗一向不喜歡嚴世蕃，於是立刻下詔，命令林潤逮捕。這時嚴世蕃還有一個兒子嚴紹庭在京中，得到消息，派人通知嚴世蕃，勸他趕快到

雷州去。但是遲了一步，郭諫臣領兵來到，『喀噠』一聲，雙手加銬，並且上了鎖，又五花大綁綑了繩子，押到獄中。

郭諫臣對嚴世蕃說：『我早料到你會趕往雷州，早派人等候著。』嚴世蕃不理會，依然神氣的大搖大擺。

同時，林潤又上了一道奏章，細數嚴世蕃的罪狀：『家產超過億萬不說，嚴世蕃經常掛在嘴邊說，朝廷不如我富，朝廷不如我樂。』世宗看了七竅生煙。

不過，嚴世蕃到底是不一樣的人，他雖成了囚犯，靠著手邊有錢，買通了獄卒，拿掉了手銬，一路上彷彿貴公子。每晚照樣吃酒席，就是到了京師，他還是回到家中聽雨樓，似乎一切法令到了他身上全部不管用，他吃得下，睡得著，每天笑口常開。

他的心腹羅龍文就沒這麼坦然，天天咳聲嘆氣。嚴世蕃卻笑道：『不怕不怕，就算有大火燎原，我也有海水澆息。』

他對羅龍文說：『天下就只有三個人最聰明，哪三個呀？』

這一句話，羅龍文已經聽過了千百遍，現在實在沒心情，懶懶的答道：『你、陸炳、楊博。』

『對。』嚴世蕃頭一昂，很有把握的說，『現在陸炳已死，楊博自己焦頭爛額，就剩下我一個天才，你怕什麼？』

羅龍文不耐煩問：『究竟用什麼方法脫險？』

『嘿，我有妙計，林潤告我賄賂，這件事萬歲爺不在乎，但是通倭寇，得想辦法刪掉。另外，得加上嚴家殺害楊繼盛、沈鍊兩項罪名。』嚴世蕃笑嘻嘻的說道。

羅龍文叫了起來，『你還嫌罪名不夠多嗎？』

嚴世蕃臉一板道：『照我的話去做沒錯。』

於是羅龍文找人放話，刑部尚書黃光昇、左都御史張永明、大理寺卿張守道都認爲：『對啊！楊繼盛、沈鍊是嚴家害的，該把這一罪狀列爲第一條。』

他三人擬好奏稿，前往徐階府第，請徐階過目。

徐階看了奏稿，連連點頭，讚美：『寫得美。』但是吃完了飯，他又把三人請到了內室，壓低了聲音道：『各位，你們認爲嚴公子當死，還是當生？」

三個人異口同聲道：「嚴世蕃作惡多端，這個人死有餘辜，不足以贖其罪。」

「嗯，很好。我們的看法是一致的。」徐階眼光對大家一掃，「那麼，各位立案是希望他死，還是希望他活？」

「當然是死啊！」

「林潤的奏章中，並沒有提出楊繼盛、沈鍊兩個案子，何必畫蛇添足？」徐階提出疑問。

張永明馬上搶著說：「這兩位忠臣都是被嚴嵩害死的，誰不知道，我們提出這兩案，就是希望定嚴世蕃死罪。」

徐階笑了一笑，搖搖頭道：『恐怕不是這樣，嚴嵩害了楊繼盛、沈鍊，雖然引起天下人共憤，但是最後這兩人是萬歲爺下詔處死的，你們認爲萬歲爺看到這一段會怎麼想？』

張守道說：『萬歲爺會以爲我們諷刺他，處分林潤，放嚴公子一馬。』說著三人起立，向徐階一作揖，『到底老謀深算，佩服佩服。』

閱讀心得

【第1038篇】

徐瑛的頓悟。

嚴嵩之子嚴世蕃惡貫滿盈，終於被林潤揭發罪狀。但是嚴世蕃不以為意，反而對外宣揚，應該加上嚴家殺害楊繼盛、沈鍊兩位功臣的罪行。原來，嚴世蕃了解明世宗絕不認錯的心理，楊沈二人的被殺，到底是皇上批准的。因此，明世宗看到奏章一動怒，嚴世蕃就可以脫險了。

然而，強中更有強中手，嚴世蕃這一層用心被徐階看出來了。刑部尚書黃光昇等三人大為佩服，卻又十分傷腦筋道：『那麼究竟應當如何下筆，才能定小嚴的死罪呢？』

徐階清晰清楚的分析：『賄賂一事，皇帝早知道，也不會在意。皇帝最容易動怒的，應當是勾結倭寇這一點。』說著，徐階自袖中掏出一疊奏稿說：『我老早就寫好的，你們看看是否合適。』

刑部尚書黃光昇，左都御史張永明，大理卿張守道等三人看後欽佩不已，隨即抄寫一份，蓋上三個人的印章，火速呈入西內。

嚴世蕃經由管道，也看到了三人原先的第一份奏疏，他樂得哈哈大笑，摟著羅龍文的肩膀不斷的搖晃：『外面都說我該爲楊繼盛、沈鍊償命對不對？』

羅龍文愁眉不展，懶得開口。

嚴世蕃猛推了羅龍文一把：『你別這麼憂愁，放心！十天之內一切沒事，你說，誰還會比我更聰明，更有才情？』

徐階到底長期研究觀察明世宗，對於明世宗的脾氣性格摸得一清二楚。所以，明世宗一見到奏章中提及，嚴世蕃勾結倭寇，外投日本，立刻御筆親批：『斬嚴世蕃、羅龍文。』

按照規定，皇帝批過後，還得審問，方才定罪。但是，如此一來，狡獪的嚴世蕃一定會湮滅證據，狡辯脫罪。同時，明世宗若是一下子又心軟，念頭一轉，也許又放嚴世蕃一條生路。所以，徐階只跟三法司說了一下經過，再回報世宗說是：『已經審問過了，證據確鑿，請求立刻正典刑，以洩人神之憤。』

平常看來溫文內向，反應略顯遲緩的徐階，在緊要關頭，才表現出積極勇敢、冒險，爲國除奸的氣魄。爲了這一刻，徐階已經忍、忍、忍，忍了二十年，終於逮住了時機。

由於徐階行事機密迅速，雖然京師之中到處都是嚴世蕃的耳目，竟處理得滴水不漏。當嚴世蕃、羅龍文被提往西市，嚴世蕃整個人呆住了，不明白差錯出在哪裡？

羅龍文整個人癱得蹲了下去，一向橫來橫去，惡行惡狀的嚴家公子彷彿成了呆子。他抓著羅龍文的手，『哇』一聲哭了出來，羅龍文也放聲大哭。

嚴家的僕人拿來紙筆，哭喪著臉道：『總該寫幾個字留給老爺吧！』

一向自認爲最聰明，最有才氣，最有氣概的嚴世蕃接過了筆，整個人瑟瑟發抖，連筆也沒法子握緊，一下子鬆在地上。

嚴世蕃問斬的消息，一時之間，轟動了整個京師，人人興奮萬狀，走在大街小巷，個個咧開嘴笑個不停，互相詢問道：『你也聽說了吧？』許多人還特地去打了酒，帶到西市來看熱鬧。

明世宗下令抄家，嚴家的金玉珍玩、良田甲第，不計其數，光光是扇子就有兩萬七千多把，其他可想而知。其中最爲名貴的是書畫，也就是後代收藏家最爲津津樂道的《鈐山堂書畫記》，其中許多珍品，至今仍保留在故宮博物院之中。

嚴嵩門下的走狗鄢懋卿也被抄家，抄出的東西人人稱奇。例如，他家的壺是銀子打造的，馬桶上鋪的文錦套子，是用最上好的繡緞織成，這原是用來裝裱書畫的。

嚴世蕃在嘉靖四十四年就刑，嚴嵩又過了兩年才死。這時的嚴嵩又老又病又窮，一個人寄居古墓舍旁邊，天天希望早死早好，一個人佝僂著背走來走去。有人知道他是嚴嵩，投以不屑的眼光，嚴嵩默默的咀嚼寂寞與悔恨。他常希望如果還是當初的熱血青年，能夠重新再來一遍該有多好。

徐階的兒子徐瑛，這才了解父親多年來用心良苦。徐階不是懦弱逃避，他是在等待時機。徐瑛覺得有這樣的父親好光榮。有一天，徐瑛回家又生氣了，『我氣壞了！今天竟然聽到了有人說嚴嵩殺了夏言，父親才設計殺嚴世蕃報仇。』

徐階一點兒也沒光火，他指一指徐瑛的心口道：『問自己的良心，別管任何人的閒話。』

徐瑛懂了。

閱讀心得

【第1039篇】

打嚴嵩。

徐階費盡了千辛萬苦，終於除掉了嚴嵩，扳倒了明朝的大奸臣。不過，一般民間都認爲是鄒應龍的功勞，這是因爲戲劇之中有一齣膾炙人口的『打嚴嵩』。

『打嚴嵩』這齣戲的大意是這樣的：

明朝嘉靖年間，嚴嵩父子在朝當權，欺壓朝廷，殘害忠良，連續殺害楊繼盛等忠臣。御史鄒應龍看不過去，於是假意投拜在嚴嵩門下，引爲心腹。

有一天，鄒應龍急急走來，到了嚴府的門口。

門官一扠腰道：『你哪裡來的？』

鄒應龍回答：『小官是外簾御史鄒應龍。』

門官白了鄒應龍一眼，冷冷道：『拿來。』

『拿什麼來？』

門官不高興了，『難道嚴府規矩都不知道嗎？』

鄒應龍摸一摸腦袋，說：『還有什麼規矩？』

門官說：『紅包。』

這下子鄒應龍懂了。『要多少錢？』

門官回答：『大禮三百，小禮二百四，沒禮免見。』

鄒應龍不好意思，訕訕的說：『下官今日來得慌忙，沒帶銀錢，改日多多奉上。』

門官一副絕不可能通融的表情道：『嗯，你就改日再見吧。』

鄒應龍心想：據說嚴嵩這一個老賊霸道，就是他手下門官也都這麼厲害。於是，他想要設計一個方法，整一整嚴嵩，出一出氣。

鄒應龍報告嚴嵩：『小官前日巡查皇城，路過開山王府，遇到了開山王府的王爺常寶童，發現他窩藏了邱將軍、馬將軍，並且用皮鞭拷打。』嚴嵩很是憤怒，『常言道，打狗還看主人，我這就去開山府捉拿小兒曹。』

鄒應龍原先與常寶童約好，只能讓嚴嵩一個人進入開山王府。嚴嵩不知有詐，進了殿，入了坐，常寶童就叫了起來：『嚴嵩，你可知罪？』

嚴嵩揚著臉問：『臣知何罪？』

常寶童道：『你抬頭看看。』

嚴嵩這才發現，中堂之上掛著明世宗的御相，大臣見君不拜自是有罪。

常寶童就藉機開罵：『你這一個老賊，今日在朝害文，明日害武，害來害去，竟然害到了我小王頭上了。今天我如果不打你幾下，豈不是便宜了你。來人哪！把他的袍子給脫了。』

嚴嵩嚇得雙手亂搖，直說『不可以，千歲！老臣打不得。』

常寶童大呼：『來呀，給我亂棍打！』

嚴嵩被打得遍體鱗傷，落荒而逃。混亂中，鄒應龍也偷偷的踹上兩腳，嚴嵩沒發覺。

渾身是傷，狼狽不堪的嚴嵩出了開山王府，『恰好』遇上鄒應龍。

鄒應龍故意問道：『太師何以這副模樣？』

嚴嵩歎了一口氣：『唉！被常寶童打成這樣，我這要上殿稟報萬歲爺。』

鄒應龍搖搖頭說：『太師錯了，倘若聖上問道，你的傷痕在哪裡？』

嚴嵩氣惱道：『渾身是傷。』

『怎麼驗法？』

『脫袍驗傷。』

鄒應龍道：『按規矩，大臣脫袍見君就是一項大罪，應當交部議處。』

嚴嵩想起來的確有這些規矩，他反問鄒應龍：『依你的看法該怎麼辦？』

『找一個心腹，在你臉上抓幾道傷痕，就當是給常寶童打的。』

嚴嵩望著鄒應龍，說：『看來，你倒是最適合的人了。』

『哎呀！』鄒應龍嚷嚷起來，『小的升官的恩惠還沒報答，哪裡還敢打太師。』

嚴嵩說：『不妨不妨。』

鄒應龍就撿起一塊磚頭說：『來，這兒有一塊磚，你就自己打自己，打重一點兒。』

嚴嵩自己打不下去，最後還是鄒應龍代勞。打得嚴嵩極慘。

這一齣戲毫無根據。嚴嵩是何等狡猾的老狐狸，他要眞這麼愚笨，被鄒應龍騙得團團轉，他也不叫『嚴嵩』了。不過，這一齣戲歷久不衰，一直到今天仍然大受歡迎。歷朝歷代都不免有作惡的奸臣，觀衆見到了常寶童、鄒應龍責打嚴嵩，彷彿是爲他們伸張了正義，因此大聲鼓掌叫好。中國人忠孝節義的精神，也就隨著戲劇代代相傳，深植人心。

閱讀心得

【第1040篇】

嘉靖皇帝亂花錢。

嚴嵩離開了朝廷，明世宗覺得十分落寞。嚴嵩不是一個好人，明世宗心中比誰都清楚。因此他才指責嚴嵩：『畏子欺君』。儘管明世宗知道嚴嵩時時撒謊，但是有個人時時伺候在身旁，甜言蜜語，小心巴結，也是一件十分爽快的事。所以，明世宗鬱鬱悶悶，無聊極了。

偏偏就在這個時候，宮裡頭鬧鬼，就是大白天也有人看到鬼影子，或是在草叢中發現身影，一走近又消失了。明世宗一向最迷信，心中忐忑不安。

嘉靖四十三年五月裡，一天晚上，明世宗心煩意亂，睡不著覺，起來踱方步，轉了一圈又一圈，長吁短嘆回到臥房。忽然間，他發現：『咦，怎麼椅子上面多了一顆桃子？』

宮女們都搖搖頭，不可置信的表示：『奇怪，剛剛還是空椅子啊！』

明世宗立刻傳令胡濙。胡濙是道士陶仲文的徒弟，伶牙俐齒，很得明世宗的歡喜。胡濙捧著桃子，裝模作樣看了老半天，然後『撲通』一聲跪倒在地，『這是西王母娘娘的蟠桃啊！一千年才熟一次的，怎麼這樣巧，恰恰就落在龍椅上面啊！』

『哦？眞的？』明世宗心動了，他大聲歡呼：『感謝上天恩賜啊！』

第二天，龍椅上又出現一顆桃子。當天晚上白兔生了兩隻小白兔。沒多久，壽鹿又生了兩隻小鹿，群臣都來表示祝賀。這時胡濙又慌慌張張的奔來稟報明世宗：『這一隻兔子可不是一般普普通通的兔子，這是月宮裡搗藥的仙兔，看起來萬歲爺成仙的日子不遠了。』

明世宗始終相信，以他這樣虔誠祈求長生不老，總有一天，他會羽化登仙。到了第二年，明世宗過生日，似乎還沒有成仙的跡象，他有點兒不耐煩。幸而宦官又偷偷放了兩顆藥丸在明世宗的龍椅上面，明世宗這才又轉嗔爲喜，到處嚷嚷：『這是天賜啊！要趕快舉行大典，謝告諸神哪！』

明世宗每一次舉行大典，不曉得要耗費多少金錢，反正他是天子，腦子裡也沒一本帳，從來不把錢當錢用。單單祭祀用的黃蠟、白蠟，每年要用三十多萬斤。當時最爲珍貴的香是『龍涎香』。凡是進呈這種香的人，都能夠得到高官厚祿。龍涎香長在雲貴高原深山老林石洞中的懸崖旁邊，爲了尋找龍涎香，多少人死於非命。凡是採得龍涎香的人，轉賣給高官大吏，從中就能賺取不少好處。

明世宗歡喜修殿，無論建大亨殿、大高元殿，築祭壇都是用錢如泥沙，這不但造成了政府的財政困難，更爲人民增添了數不盡的痛苦。

因爲要修殿，處處要用大木頭，皇帝要用的，當然得用最好的。一根大木頭，從勘尋、發現、拖曳、出山、裝船，不曉得要耗費多少人力，往往要一千個壯丁花上一整年的功夫，才能把一根大木頭運到北京，眞是勞民傷財。

明世宗還喜歡一樣東西——珠寶。他大量採購各種珠寶，不論是貓兒眼、祖母綠、石綠、金剛鑽、朱藍石、甘黃玉，統統有興趣。他還中意珍珠，尤其是又大又圓粉紅色的珍珠。爲了得到珍珠，明世宗派遣了太監前往廣東採取。

太監到了廣東，爲了達成任務，命令老百姓一次一次入海採取，一下子就死了五十多人，只得到八十顆珍珠。因此有人譏諷：『這是以人換珠。』

太監完全不理會，昂著頭說：『人命算什麼？珍珠是萬歲爺要的，這才稀罕！』

此外，明世宗又在北京設置磚廠，在蘇州織製御用綢緞，在江西燒製瓷器。當然，這些御用品，原來也是歷朝皇帝享用的，但是明世宗要的特別多，特別精美，特別奢侈。就連最受批評的正德皇帝，在亂用錢這一件事上面，也得對明世宗甘拜下風。

這就是明世宗晚年的明朝概況。當嚴嵩健在當權時，天下人把矛頭全對準了嚴嵩，把一口怨氣全發洩在嚴嵩身上。中國人一向不作興罵皇帝的。

可是，等到嚴嵩離開了朝廷，賢相徐階當政，人們這才發現，頂多朝廷是回到沒有嚴嵩的時代，政治腐敗，人民負擔也重，到處剜肉補瘡，一塌糊塗。

所以，當時人私下議論：『嘉靖皇帝，就是讓我們「家」家戶戶，窮得乾乾「淨」淨。』眞是好一個嘉靖皇帝啊！

閱讀心得

【第1041篇】海瑞頂撞御史。

嚴嵩雖然被徐階趕走了，明朝依然一步一步走向衰敗。明世宗仍然不上朝，追求長生不老，胡亂用錢，天下有志之士都憂心忡忡，卻又一籌莫展。

朝廷中有一位臣子最按捺不住，他就是歷史上赫赫有名的海瑞。這個人在古今諫臣當中，是講話最無所顧忌的一個人。海瑞姓海，是海南島人。當時的海南島窮困落後，海瑞的父親海瀚，在海瑞四歲時過世，海家的日子過得更爲淒涼。

中國許多偉人都是幼年喪父，由寡母一手帶大。也許是因爲孤兒寡母，缺乏可以依靠的大樹，所以格外堅強奮鬥吧！海瑞的母親謝氏也是一個韌性極強的奇女子，她織布、紡紗，靠自己一雙手帶大海瑞，她也教導海瑞閱讀《孝經》、《論語》、《春秋》等書。閒暇之時，謝氏常爲海瑞講歷史故事，海瑞最喜歡聽包公判案與楊家將的故事。

海瑞最崇拜包公，最欽佩包青天的正直，他每次都會仰起臉對媽媽說：『以後我也要像包公一樣。』

『當然。』謝氏對孩子很有信心，她摸摸海瑞的頭說：『你就是海青天。』

從小海瑞決定，長大以後他一定是海青天。

嘉靖二十八年，海瑞考取了鄉試，他要求回鄉服務。在大家都一心往外跑的時候，海瑞的決定讓人們大吃一驚。反正，海瑞一輩子的所作所爲都讓人嚇一跳。

海瑞如願以償，回到了海南島，擔任南平教諭。他是一個急性子的人，當天就急著去縣學視察。由於明太祖重視學校教育，因此開國之初，他就下令各地的府、州、縣普遍設立學校。明朝的學校，一般說來，比唐宋元朝都完備。

訓導帶領著海瑞參觀縣學，走過明倫堂，風景清幽，一片寧靜，海瑞由衷的說：『這眞是進德修業的好地方。』

訓導也是一個直爽的人，他嘆一口氣道：『沒辦法，現在教員在混，生員也在混，個個想辦法巴結長官，希望將來有一條好出路，沒有誰是眞正在用功讀書的。』

『這不可以，』海瑞板起了臉，『非改不可。』

第二天，海瑞召集教員生員訓話：『我們這一所縣學，設立在洪武三年，現在是延州府中最大的學府，各位有幸前來求學，一定要認眞努力，把自己造就爲人才，該賞該罰都得切實做到。』

海瑞是一個很嚴格的人，對教員嚴，對生員嚴。在他的敦促之下，整個縣學立刻改觀，海瑞自己帶頭，比誰都用功。這一件事很快傳到了延平府，人人都聽說，『來了一個海教諭，誰都吃他不消。』並且『海教諭下

了命令，以後官員來了，不許行跪。』

延平府的御史聽說了這件事，心裡非常不舒服，『這個姓海的小子，新官上任三把火，我不去瞧瞧，那眞還是老虎不發威，給人當病貓呢！』

御史立刻前往南平縣學，準備找麻煩，他一向認爲官大學問大，若是不東挑挑、西削削，這些教員生員可能連孝敬送禮的規矩都不懂。御史寒著臉，手背在腰後，緩緩的踏入了明倫堂，兩位訓導與其他教員自然而然跪倒在地，只有站在兩位訓導中間的海瑞動也不動，只是作一作揖。

御史鼻子裡『哼』了一聲，凌厲的眼光往海瑞一掃，海瑞依然站得筆直。

御史火了，嘲諷道：『奇怪，怎麼突出一座山，一點兒也不懂得規矩。』

海瑞馬上更不規矩的回敬，『對不起，督學大人！這是縣學，明倫堂是教導學生的地方，一定得保持師長的尊嚴。如果我到貴府求見，自當跪拜，這裡是教學重地，請尊重《會典》中所言：「官員前來，師生出大門迎接，行禮完畢，赴明倫堂，師生作揖，教官侍坐，生員東西序立讀書。」』

御史氣得臉上一陣青，一陣白，道理在海瑞那一邊，他無法辯駁。回去以後，三天兩頭找麻煩，把海瑞整得死去活來，完全做不下去，最後只有遞上辭呈。

但是知府不讓海瑞離開，並且公開推崇海瑞有骨氣。這時福建提督副使朱鎮山聽說這件『奇譚』，很欣賞海瑞，調他到福建正誼書院教書。

海瑞一點兒也不後悔，他乾脆自號『剛峰』，表示他就是這般剛直。

閱讀心得

【第1042篇】

胡公子踢鐵板。

海瑞因爲堅持不肯在學校向督學下跪，並且搬出了明太祖的遺訓，證明他的做法。因此，他得到了一個『海瘋子』的外號，但是海瑞不以爲忤，他甚至自號『剛峰』爲自己加油鼓掌。

嘉靖三十七年，海瑞調爲淳安縣知縣，淳安縣在浙江省，景色如畫，李白曾經有一首詩形容：『鳥度屏風裡，人行明鏡中。』海瑞興匆匆的前往就任新職。

然而海瑞到達淳安，卻發現淳安縣破敗荒涼，人煙稀少，而且走在路上，幾乎全是上了年紀的老人家，海瑞覺得奇怪，找來一位老婆婆問話。

老婆婆又瘦又駝又黑又小，臉上全是層層疊疊苦澀的皺紋，彷彿一顆乾癟的棗子，她不耐煩的回答說：『哪個年輕人願意留下來呢？天災人禍，一片荒涼，尤其這兒是浙江安徽間的要道，一天到晚有官吏經過。』說著，老婆婆白了海瑞一眼，『反正當官的全是一個樣，總是騙吃騙喝，害苦百姓。』

海瑞當場幾乎叫了出來：『我不是這樣的！』

轉念一想，不必多說，說乾了嘴，老婆婆也不會相信的，他會用事實證明，他這個芝麻小官和一般官員不一樣。

第二天，海瑞就一身短衫裝扮，與家人僕役一起開荒種菜，絕不騷擾百姓。有一天，海瑞利用假日墾田，僕人遞過來一個西瓜，天氣炎熱，海瑞吃得滿手滿臉全是西瓜汁，十分過癮。他問僕人：『這瓜好甜，哪兒買來的？』

僕人邀功的回答：『這哪需要買，前面瓜田裡全是，我再去摘幾個來就是。』僕人興奮的往前跑去，被海瑞一把揪住，火大的罵道：『原來是偷來的，趕快去賠錢道歉，一個瓜多少錢？』

僕人十分委屈的說：『知縣大爺吃了個瓜算什麼？而且又沒人知道。』

海瑞不說話，一雙眼睛瞪著僕人。

「大概三文錢吧！」僕人小聲的說。

「嗯。」海瑞數了六文錢，放在空空的瓜瓢裡，對著僕人說：「三文是瓜錢，三文是罰金。你趕快放回瓜田。」

當僕人捧著瓜瓢回到瓜田，一大堆鄉人圍攏來看，個個嘖嘖稱奇：

「吃個瓜算什麼，知縣大爺太認眞了！」

「也太不一樣了。」曾經數落過海瑞的老婆婆，咧開嘴大笑，「我老太婆活到現在，第一回看到這樣的官員，也算是沒有白活了。」

在這之後，海瑞又平了幾件冤獄，地方人士更送上『海青天』的美名。海瑞不大喜歡的說：「我從小最怕聽到『青天』二字，如果到處風和日麗，誰看得出來哪一塊是青天？就是現在幾乎官場全是黑壓壓的一片，

偶爾遇上比較清正的官吏，老百姓就高興得以爲遇上了青天。這「青天」二字，背後有多少辛酸與黑暗哪！』

海青天作風果然不一樣，例如他爲母親做壽，並沒有宴客，不過只買了兩斤豬肉添菜。這般的儉樸，連浙江總督胡宗憲都知道了，並且用這當作話題，教訓浪費成習的兒子：『你看看，人家當了知縣還這般節省，你該學習學習。』

胡宗憲的寶貝兒子一向不學好，從來不肯安安靜靜讀一會兒書，他的理由十分奇怪：『我屁股上長了一根針，坐久了會疼。』因此，他整天到處東逛逛西走走，仗著自己是總督的兒子，到處找人麻煩。

胡公子最羡慕嚴嵩的兒子嚴世蕃，他總是想：『假如我老爸有嚴嵩威風，我也就不可一世了。』胡公子聽說了海瑞的海瘋子作風，非常不以爲然，胡公子對手下說：『這種人自命清高，不教訓他一下，那是不可以的。他爲老母親祝壽，只買兩斤豬肉，太小器了。至少得宰一隻雞才行。』

於是，胡公子跑到了淳安縣驛站，嚷著要他們招待酒菜，並且準備一隻雞，清燉或是紅燒都可以。

驛卒可憐兮兮回答：『小地方只有粗茶淡飯，沒有雞食供應。』

胡公子一個巴掌就揮過去，把驛卒打得鼻青眼腫，嘿嘿冷笑：『沒有雞是不是？那就把你像雞一般倒懸在屋樑上面。』

海瑞一向最痛恨官員橫行霸道，欺負百姓，他久聞胡公子蠻橫，這下子逮到了機會，把胡公子五花大綁押到了衙門，結結實實打了一頓，眾人拍手叫好。

胡公子細皮嫩肉，一面挨打，一面呀呀的申辯：『我是堂堂胡總督的兒子啊，怎麼隨便打人？』

海瑞故意說：『竟然敢冒充胡公子，再打！』衙役又劈哩啪啦打了一頓。胡公子摀著屁股，狼狽的回到督府。胡宗憲又惱又氣，『想吃雞，家裡多得是，自己去受辱。』

胡宗憲也不滿意海瑞不近人情，但是自己理虧，只好悶在心裡。

閱讀心得

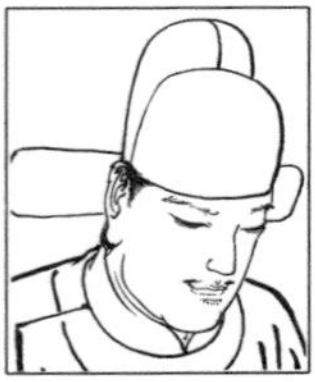

【第1043篇】

鄢懋卿擺闊。

明朝嘉靖年間，浙江總督胡宗憲之子胡公子騷擾鄉里，把驛卒像市場出售的雞一般，倒懸在屋樑上面，清官海瑞逮住了胡公子，讓衙役卒好好的痛打一頓，然後以『胡公子是冒充的，不然不至於胡作非爲』當作理由，交還給胡宗憲。胡宗憲氣得牙癢癢的，卻拿海瑞無可奈何。

從此，『海瘋子』的盛名，響遍整個浙江，甚至傳到了北京。胡公子仗著父親撐腰，不曉得欺負過多少女孩子，總認爲自己英俊瀟灑，風流倜儻，老是揚著眉毛道：『本公子看得起你家女兒，才找上她。』這一會兒，胡公子挨了揍，人人爭相走告：『哎，你沒瞧見胡公子一拐一拐的狼狽模樣，眞正是大快人心哪！』

海瑞自己清楚，這樣的作風，未來的前途難測。但是他決定繼續大快人心，至少可以幫老百姓吐一吐長久以來的怨氣。

沒多久，海瑞收到一件公文，指示海瑞鄭重接待巡鹽都御史鄢懋卿。鄢懋卿是嚴嵩面前一等一的紅人，嚴嵩十分欣賞他，所以把兩浙、兩淮、長蘆、河東的鹽政全交給了他。

在中國古代，鹽幾乎都是國家專責。明朝也是這樣，並且規定了極爲嚴格的『鹽法』，凡是販賣私鹽就判死罪。『鹽』是維持生命的必需品，也是炒菜不可或缺的調味品，鄢懋卿一人掌理四大鹽區，肥水多多，不在話下。

鄢懋卿奢侈豪華，不亞於嚴嵩。因爲錢實在多得用不完，他竟然用白金打造尿壺。馬桶也圍上了文錦織成的軟套子。許多百姓聽說之後，忿忿不平的說：『我穿的衣服東一個洞，西一塊補丁，還不如鄢府的馬桶穿得體面！』

鄢懋卿一點兒也不在乎人們的批評，他非常疼愛老婆。鄢夫人長得十分漂亮，可是化妝品多，粉擦得特別厚，因此好事者私下爲她取了一個『石灰牆』的外號，諷刺他夫婦兩人臉皮厚。

鄢懋卿喜歡帶著夫人到處遊玩，他們乘坐的轎子是十六人抬的特大號轎子。此外，轎前還一定有十二個美女，花枝招展，載歌載舞的拉著彩帶開路。這樣的花車遊行排場，世上罕見。所以，只要他一出門，到處有人圍觀看熱鬧。

這一回，鄢懋卿從揚州到杭州，沿途拉船的挑夫，起碼五百名。海瑞接到公文，怒由心生，嚴嵩和嚴嵩的手下，全是他最厭惡的，他看不慣這些人欺壓百姓。

因此，海瑞當下寫了一封信，簡單表示：淳安縣是個小地方，招待不起，請繞道而行吧！

鄢懋卿一向神氣慣了，也一向霸道慣了，他一路上看到的全是低聲下氣，滿臉恐懼的官員，從來沒有人敢在他面前反抗，鄢懋卿氣得滿臉通紅

，說：『我從來沒有見過這樣不禮貌的事，也從來沒有見過這樣不禮貌的人。』

鄢懋卿氣呼呼的把海瑞找來，指著海瑞的鼻子，說：『我是你長官，我可以讓你擔任知縣，我也隨時可以讓你不當知縣。』

海瑞不吭聲，雙方僵持了一陣子，海瑞才開口說：『百姓正在農忙。』

鄢懋卿自鼻孔中哼了一聲：『挑夫不可以免。』

第二天，海瑞很難過的帶了五百挑夫前來報到，他對自己不能解決這件事深感對不起大家。因此，他也腰繫麻帶，光著腳丫，準備下江拉船。

知縣老爺當挑夫，這是千古未有的奇聞。鄢懋卿看到了，氣得渾身發抖，怒聲指責：『海瑞，你眞是丟盡了當官的臉。』海瑞心中卻有另一個聲音：『鄢懋卿，你才是丟盡了當官的臉哪！』

鄢懋卿覺得受到了侮辱，一路上念個不停：『我從來沒受過這樣的氣！』回到京中，鄢懋卿一彈手指，果然就摘下了海瑞的官。海瑞原可升爲嘉興通判，一下子貶爲興國州判官。

淳安縣的百姓都哭了，人人低著頭，心中充滿了不平。正義在哪裡？公道在哪裡？海瑞脾氣是直了一點兒，但是他在地方上的建樹，沒人比得上。

由於海瑞正直，他不肯接受任何禮品餽贈，家家户户想了一個辦法，人人家門口，清水一杯，銅鏡一面，代表海青天：『清如水，明如鏡。』

海瑞離開了衙門，挨家挨户道別。淳安縣民哭，海瑞哭。海瑞走到哪兒，鞭炮響到哪兒，個個臉上哭，不忍海瑞。人們心中都有另一種哭聲：『管你朝廷怎麼的不公平，我們淳安縣民生生世世敬愛海瑞。』一直到今天，淳安縣仍傳誦著有關海瑞的歌謠。

海瑞感動了淳安縣民，淳安縣民也感動了海瑞。海瑞抹乾了淚水，大踏步繼續奮鬥。

閱讀心得

【第1044篇】海瑞重視環保。

海瑞因爲得罪嚴嵩手下的紅人鄢懋卿，被貶爲興國州判官。由於淳安百姓的含淚相送，原本灰心失望的海瑞，又精神抖擻的準備大幹一場。

海瑞到了江西興國州，他還是拿出在淳安的拚命精神，人一到就到處跑，到處問，沒有多久就推出了一套『興國八議』，包括丈量土地、平均賦役等八種施政方針，並且說做就做。

海瑞先平定了盜匪，驅逐了地頭蛇，一切井井有條。然後他著手治理旱災。興國是很奇怪的一個地方，一天到晚鬧旱災，三天不下雨，地上就彷彿在噴火。有個老人家說：『沒辦法，二十多年前，燒了一場大火，把所有樹都燒得乾乾淨淨。』

海瑞當下決定：『治山治水先栽樹。』他是一個急性子，從鄰縣調來了十幾萬株樹苗，並且貼出告示：

凡是興國百姓，不論官民，三天之內每人插杉苗三百株。逾期不插者，一律強制執行，加倍補插。插完之後還得保護存活，凡是毀樹或是故意違抗的人，罰銀二十兩，並且補栽五倍。

告示貼出來了，卻沒幾人看得懂，因爲興國州大半是文盲，海瑞只好耐心的一遍一遍唸。唸完了，一個年輕人瞪大了眼睛，問：『奇怪，爲什

麼毀樹要「發」銀子二十兩？』

海瑞一聽，差點兒沒昏倒，他急著搖手，說：『我是說「罰」不是「發」，毀樹拿錢，這還了得嗎？』

眾人哄堂大笑，海瑞可笑不出來。所以，當樹苗栽下，蓄水池造好以後，海瑞開始積極興辦學校。十年樹木，百年樹人，海瑞兩件事都做得頂瓜瓜。不久，海瑞被升爲戶部主事，回到京城。

這時候嚴嵩、鄢懋卿都已經垮臺。海瑞的好朋友，廣西人何以尚笑著對海瑞說：『你看，整你的人先垮了，這就是老天有眼。』

海瑞不覺得高興，他寒著臉道：『沒錯，徐階了不起，終於把嚴嵩扳倒了。但是我從地方一直到中央，看到的是民窮財盡。老百姓都說，什麼嘉靖皇帝，就是家家戶戶窮得乾乾淨淨。』

何以尚趕緊站了起來，用手摀著海瑞的嘴，說：『你小心點，這是天子腳下，當心有人聽到，你就慘了。』

『萬歲爺爲什麼這樣笨蛋，二十多年沒上朝，道士陶仲文自己都不能長生不老，陶仲文搬弄的仙桃仙兔怎可相信？萬歲爺在全國修寺院道觀，胡亂花錢，非把國家搞垮不可。』海瑞談起來就一肚子不滿。

何以尚望著海瑞一臉正氣，非常擔心的說：『你小心點吧！記得蘇東坡曾經說過一個故事：艾子帶著一群學生外出，遇到一個老公公，請老公公給他們一點水喝。老公公說：「好，你們若是認字，我就給你們水喝。」

『學生說：「認字，誰不會？」

『老公公寫了一個字，學生當場叫了起來：「眞。」老公公轉頭就走。

『艾子立刻叫：「直八。」

『老公公這才笑嘻嘻，把水端出來，請學生們喝。

『艾子長嘆：「這個世界原是不得認眞的。」』

海瑞笑道：『不過，我和蘇東坡一樣，一肚皮的不合時宜，我就是認眞人。』

何以尚很憂心，他非救海瑞不可，免得海瑞直言惹禍。於是，他翻出許多佛經，捧來送給海瑞，同時苦口婆心勸道：『照佛家來說，一切都是空的，人死了不過一堆白骨，因此不用太煩惱。』

海瑞道：『正因爲人不過是臭皮囊，我現在死，或以後死不都一樣？再說，就像地藏王菩薩所說的，地獄還沒淨空以前，誓不成佛。我也是同樣的心情。』

何以尚說：『了不起再當一個楊繼盛，於事無補。』

『不是這樣的，楊繼盛的壯烈，鼓舞了多少人心，我在淳安，雖然吃了虧，但是百姓也看到了眞正中國讀書人。楊繼盛臨刑詩中說，「生平未報恩，留作後人補。」我要補這一個位置。』

何以尚問：『你能說得動萬歲爺嗎？』

『總得有人試一試。試不成，了不起犧牲我命一條，萬一中的萬一，萬歲爺聽進去了，我大明朝就有希望了。』

『不只犧牲你一個人，還有老母妻小啊！』

『這……這……』一向硬漢的海瑞開始掉眼淚，他擤一擤鼻子，說：

『我不忍，我愛天下百姓，我不忍看他們受苦，你再說空不空，我仍然不忍心。』

何以尚呆住了。他喃喃道：『大家都說海瑞剛直，他對國家對天下人的愛，其實是最純潔柔美的。我終於明白無欲則剛的道理！』

閱讀心得

【第1045篇】

海瑞的奇蹟。

嚴嵩垮臺，明朝依然國勢不振，其中的關鍵，當然是出在明世宗身上，剛直的海瑞決定上疏勸諫皇帝，他的好友何以尚十分擔憂。

何以尚回到家中，在書架上找到《貞觀政要》一書交給海瑞，誠懇的對海瑞說：『唐太宗是最能接納勸諫的皇帝，但是臣子也該儘量委婉，理直氣和。』

何以尚並且翻開其中一頁，說：『你看，以漢元帝的故事爲例，他要去祭宗廟，宗廟前有一條河，漢元帝突然心血來潮，他想乘船，不想坐轎子。御史大夫薛廣德突然摘下了烏紗帽，大聲的吼說：「非得坐轎子不可，乘船太危險，陛下今天如果不聽我的話，我就在這兒自刎，讓車輪上沾滿鮮血！」

『漢元帝非常不高興，幸虧光祿卿張猛站出來打圓場，說：「乘船的確危險，還是坐轎子過橋安全，陛下多珍重。」漢元帝白了薛廣德一眼，氣嘟嘟的說：「話不能這麼說。」最後還是乘轎子。

『我再講另一個故事，這是唐朝大詩人杜牧所寫的一段故事：某甲好心勸告某乙，要某乙不要吃某一種食物。某甲說：「你如果吃了，必死無疑。」某乙大大不以爲然的說：「我就是喜歡吃這玩意兒，而且吃了許多時候了。你說我會死，我就加倍吃。」某甲如果委婉的勸他少吃一點兒，也許某乙就聽進去了。』

海瑞睜大了眼睛，眨也不眨的聽完了何以尚的忠告後，說：『你的好意，我心領了。但是，一來我性格使然；二來萬歲爺到底不是唐太宗；三來別忘了徐階可是最委婉小心的了，想來他勸了不下千百回，有用嗎？』

何以尚無法回答，他難過的點點頭，正色的問海瑞：『有沒有我可為你效勞的地方？』

『有的。請為我準備一口棺材，請把遺書交給我母親。』海瑞平靜的交代後事。何以尚已經泣不成聲，海瑞反而安慰他說：『我求仁得仁，這是我心甘情願，無怨無悔的。自從決定做這件事，反而有一種說不出的坦然和解脱，好痛快！』

果然，海瑞寫下了歷史上最直接，最激烈，也最痛快的奏章，在嘉靖四十五年二月呈獻給明世宗。

這篇奏章是千古奇文。海瑞開始，還稍稍捧了明世宗幾句，然後他就不客氣的批評：『陛下聰明反被聰明誤，迷信長生不老之術，二十多年不上朝，官吏貪橫，民不聊生，水旱災不斷，盜賊遍地。最近嚴嵩罷相，嚴世蕃處死刑，國家卻一點兒也不清明，天下人看不起陛下，不齒陛下的作爲已經很久很久很久了。』

明世宗看到這兒，怒火攻心，從來沒有一個人敢這樣罵他的，氣得把奏章揉成一團，扔在地上，整個人癱在軟椅上，似乎快斷氣了。他用手一

遍一遍摸著胸口，勉強平靜下來，恨恨的說：『快快快快把這個膽大包天的海瑞捉來，千萬不能讓他給溜了。』

『不會溜的。』一旁的宦官安慰明世宗說：『萬歲爺請息怒，據奴才所知，這個海瑞，外號叫「海瘋子」，他在上疏以前，已經買好了一口棺材，遣散了家僕，一心一意等死。』

『嘿，世界上還有這種不怕死的人？』明世宗不以為然，他危危顫顫站了起來，撿起揉成一團的奏章，把奏章攤平，說：『我倒要看一看，這個海瘋子要怎麼羞辱朕。』

明世宗繼續看海瑞的上疏。奏疏寫著：『陛下的錯誤太多了，最主要是求長生不老。古代的方士今天沒誰存活，陛下拜陶仲文為師，現在陶仲文自己也死了，陛下還相信。至於仙桃天藥，全是左右奸人用來欺騙陛下，陛下竟然信以爲眞。

『陛下如果悔悟，恢復上朝，也許能置身於堯舜禹湯等聖君之間，使臣子們也一雪數十年來拍馬屁的恥辱。今天大臣們因爲貪圖奉祿喜歡阿諛，小臣害怕得罪把舌頭也打了個結。臣海瑞心中不勝忿恨；因此冒著一死，不能不盡區區的心意。』

這眞是最犀利的奏章了。明世宗看完，只覺得眼前一黑，頭腦轟轟作響，尤其是最後一句：『嘉靖，家家窮得乾乾淨淨。』彷彿一把尖刀，不偏不倚直中心臟。天天聽慣了歌功頌德的明世宗，完全無法招架。

最爲體貼，最懂得保全忠臣的徐階，附在明世宗耳邊說：『陛下，您現在如果殺掉海瑞，反而成全了「海瘋子」。』

『對！』明世宗從焦黃的牙齒中迸出一句，『朕不能成全海瑞！』

這時的海瑞，心中坦然，端坐在家中，等待被捕。

閱讀心得

【第1046篇】

海瑞無罪釋放。

海瑞上疏明世宗，用最直接、最激烈的言語，指責明世宗不該迷信長生不老之術，害得國家民窮財盡。

明世宗一向是個小器的皇帝，從來聽不得任何忤逆的話，皇后稍微皺個眉頭，他又打又罵；大臣楊繼盛上疏，在朝廷上當場被活活打死。世宗一直深信，沒有任何人敢觸犯他的權威。

直到他碰上海瑞，海瑞的一句：『天下人看不起你已經很久了。』這一句話讓他從腰涼到了整片背脊，腦袋轟隆轟隆作響。明世宗一輩子沒受過這樣大的打擊，他一遍一遍自問自答：『難道國家眞的民窮財盡了嗎？』

憑良心說，明世宗不是一個好皇帝，但也不是暴虐的君王。他對於海瑞的指控覺得委屈，卻也第一次對怠忽朝政自責。明世宗喃喃道：『海瑞這個人的忠心耿直可以和商朝的比干互相比較，但朕絕對不是商紂哇！』

徐階一旁趕緊安慰道：『陛下當然不是商紂。』

商紂是商朝時代荒淫的皇帝，最愛擺闊，衣服上面綴滿了珠寶，走起路來叮叮噹噹的。皇宮大門用黃金打造，柱子用寶石雕砌。他還造了一座酒池肉林，酒池大到可以在裡面划船，酒池旁邊豎了許多木柱，木柱上排著各種香噴噴的烤肉，以便紂王可以在酒池旁飲酒，一伸脖子就能吃到烤肉。

紂王寵愛妲己。妲己和紂王一般生性殘忍，兩人商量出許多害人的辦法。例如炮烙之刑，就是用炭火把銅柱子燒得火熱，再讓犯人在銅柱上爬行，犯人一旦摔下來就會被火燒死。

紂王的叔叔比干看不過去，向前勸諫紂王，紂王冷笑道：『我曾經聽說聖人的心有七個孔竅，我倒要看一看你比干的心有幾個窟窿。』紂王居然眞的殺掉叔叔比干，剖開肚子，把比干的心拿出來研究。

明世宗本來身體就不好，他又一向認爲自己身體不好，這一下子整個人虛脫了，時而清醒，時而昏迷，一連幾個月，手上都拿著海瑞的奏章。

海瑞的奏章，海瑞的冒死進諫，終於撥動了明世宗的心弦。他對徐階說：『海瑞奏章裡講的都是對的，朕實在也是病久了，怎能處理朝政。』

過了幾天，明世宗想想，身爲皇帝，竟然被一個小臣罵得狗血淋頭，這口氣難以忍受。他又理不直氣不壯的爲自己辯解：『假如不是朕不曉得愛惜身體，遭到疾病的困擾，假如朕能走出宮門，朕哪裡會受到這個人的詬罵？』

於是，明世宗考慮了幾個月之後，終於還是把海瑞逮捕入獄，並且大刑伺候，要海瑞供出：『究竟是誰主使的？』

刑部問了案，立刻揣摩皇上的意思，奏請將海瑞處死。偏偏明世宗又不忍心殺了海瑞，遲遲不肯批下。

海瑞的好朋友何以尚，一旁冷眼旁觀，他直覺認爲，明世宗良心發現，不想殺海瑞，不然以明世宗的脾氣，老早就拖來砍了，哪裡還留到今日。

因此，擔任戶部司務的何以尚，上了一個奏章，請皇帝釋放海瑞。明世宗大怒，他覺得內心的祕密被何以尚看出來了。一肚子的火正沒有地方發洩，剛好把何以尚當出氣筒，抓了來，打了一百大板，交付錦衣衛審理。

嘉靖四十五年冬天，明世宗燈盡油枯與世長辭。崩逝之前，明世宗找了徐階，留下遺詔：『朕奉宗廟四十五年，享國長久，是歷朝沒有的。朕一心一意想服務人民，奈何體弱多病，過分追求長生之術，以至於被奸人欺騙誘惑，凡是因爲建言獲罪的臣子，一律釋放重新任用。』這也是說海瑞、何以尚都無罪釋放。

監獄的長官得到了消息，他想，得趕緊巴結海瑞了。所以，準備了上好的酒菜，恭恭敬敬送到了牢房裡面。海瑞以爲是行刑前最後的晚餐，他和何以尚兩人，坦坦然然的大吃大喝，大聲唱歌。酒醉飯飽之後，海瑞笑著對監獄官說：『好了，該上西市問斬了。』

監獄官這才公布了好消息，神祕的說：『恭喜海大人，皇帝已經登天了，大人不久將見天日，卑職是設宴餞行。』

獄官原以爲海瑞一定樂瘋了。不料，海瑞突然跪倒，面向北方，呼天搶地，大哭特哭，把剛才吃的酒菜全給吐了出來。原來海瑞罵嘉靖皇帝最嚴厲，其實他最愛嘉靖皇帝。眞是愛之深責之切呀！

明世宗顯然也察覺，海瑞剛直的背後，其實是對國家君王最純潔的愛。所以，海瑞是古今諫臣當中，出言最無顧忌的，竟沒有被明世宗殺害，也算是奇蹟美談了。

閱讀心得

【第1047篇】

戚景通父子相傳。

明朝將軍戚景通正直不阿，他一心一意培植兒子戚繼光，希望他長大以後，『繼』承祖先的『光』耀，負起保國衛民的責任。

戚景通爲了鼓勵兒子研讀兵法，特別封他爲『小光將軍』，小光將軍授命以後，白天帶著鄰居小孩子，堆城堡，挖戰壕，騎馬打仗非常過癮，晚上就坐在爸爸腿上，聽他講解《孫子兵法》。

小光八九歲時，已經將《孫子兵法》念了大半了，對他的年紀來說，這本書是深奧了一些，但是他興趣濃，戚景通興趣更濃。小光不單單會背誦，甚至每一段都能解釋得清清楚楚，因爲戚景通會考試。

『小光，你說說看，「用兵之法，無恃其不來，恃吾有以待之。」這是什麼意思？』

『「恃」是依靠。這句話是說，用兵的方法，不能依靠敵人不來侵略，最重要的是依靠自己有所準備。』

『很好，小光聰明。』

『那我們今天晚上可以不可以吃餛飩湯？』小光乘機要求。

戚景通住的巷子裡，晚上經常有一個老伯伯敲著梆子賣餛飩湯，他做的餛飩小而薄，裡面包一點點肉，撒些蔥花，淋點麻油，香得不得了。小光每次都用舌頭把碗舔得乾乾淨淨。可是因爲家裡窮，父親儉省，吃到的機會不多。

『好，今天我們就吃餛飩。』戚景通答應了。小光拍手叫好。在冬天的夜晚，父子兩人對坐吃餛飩。小光很開心，戚景通摸著兒子的腦袋，說：『爸爸想爲你製造一點回憶。』

戚景通對兒子的愛，那是沒話說的，但是這位父親的嚴厲可也是少見的。

有一天，戚家的門壞了，請了工匠來修理，戚景通對工匠說：『兩根楹柱之間，就裝四扇雕花門戶。』

工匠開始敲敲打打，小光將軍和一些小孩子好奇的在一旁觀看，工匠對小光說：『你父親是將軍嗎？』

『對。』小光最崇拜父親，挺著胸膛回答，並且加了一句：『我將來也要當將軍。』

『你知道嗎？按照規定，將門之家可以裝十二扇雕花門戶的。』

『眞的呀？』小朋友們一致叫了起來。

『我趕快告訴父親去！』小光一溜煙衝去找戚景通。

戚景通聽了小光上氣不接下氣的報告，慢條斯理的說：『這規定我早就知道了，不過用不著講排場，四扇雕花門戶就夠了。』

『可是，可是……』小光囁嚅道，『其他人都知道我們應該有十二扇雕花門戶哇！這樣多沒有面子啊！』

『小光將軍，』戚景通表情嚴肅的說，『我不喜歡你養成虛榮的習慣。』

『是。』小光低著頭默默走開，心中十分不快樂。

過了兩天，又發生一件事。小光的外公送來一雙漂亮的絲綢鞋子，上面還繡著兩隻小獅子。小獅子兩隻發亮的眼睛凸出來的，一走起路來就會晃來晃去，既搶眼又有趣。

小光試了試鞋，剛剛好，他穿著新鞋，一蹦一跳，急著跑出去讓同伴瞧一瞧。

戚景通剛好從外面回家，一眼看到小光穿新鞋，馬上下命令道：

『快，快脫下。』

『我不要，這是外公送給我的。』

戚景通火大了，把聲音提高：『還不趕快脫下來。』

小光委屈的哭了起來，用手擦著眼淚，抽泣著回答：『媽媽要我穿的，又不是偷來的鞋。』

戚景通也覺得自己太兇了，換了和緩的口氣：『乖小光，你小小年紀，穿這麼好的絲鞋，將來當了軍官，非扣大兵的軍餉不可，這樣怎能和士兵同甘共苦呢？』

『好嘛。』小光萬般不情願，勉強脫下了鞋子。

戚景通爲官清正，有朋友看不過去，對他說：『看你將來有什麼東西留給子孫後代。』

戚景通當著朋友的面，找來小光，嚴正的說：『小光，我留給你國家土地，好好保衛。』

小光將軍行了一個軍禮，恭敬回答：『孩兒誓死保衛。』

朋友搖搖頭，說：『這一對父子，一模一樣。』

閱讀心得

【第1048篇】

戚家的教養。

明朝將軍戚景通教子有方，戚繼光在父親的教導下，勤讀兵書，努力向學，一天一天的茁長。

但是，因爲戚景通堅持清廉，戚家的經濟環境始終不佳，戚繼光十歲那一年，他親愛的母親過世了。這一件事對父子兩人來說，都是莫大的打擊，卻也使得他們父子的感情更加親密。

戚繼光十七歲那一年，父親七十三歲了，染上重病，無法下床。戚繼光日夜照顧，口中喃喃的說：『該讓我來生病比較好。』

『胡說！』戚景通喝斥兒子：『國家還要靠你保護。』說著，戚景通咳個不停，嚇得戚繼光趕緊跑過來拍拍父親的背。

戚景通也警覺自己太過嚴厲了，於是語帶抱歉的說：『小光將軍，你實在很乖，別怪爸爸總是對你很兇。我五十六歲才得到你這個兒子，不知道能陪伴你幾年，總急切想把一切教給你，你要原諒爸爸。』

『爹，別這麼說嘛。』戚繼光聽了心酸酸的。

『另外一方面，我認爲，你一定得有好的教養，戚家的子孫必須謹言慎行，非禮勿言，非禮勿行。你將來領導的戚家軍也一定得有紀律有教養，就像岳飛當年領導的岳家軍一般。』戚景通一口氣說到這裡，已經氣喘如牛。

這時窗外傳來賣餛飩的梆子聲，這是他們父子最愛吃的點心。戚景通忽然興致來了，吩咐兒子：『趕快去買兩碗。』

因爲經濟不寬裕，他們通常只買一碗分著吃。難得父親有這個胃口，戚繼光趕緊飛也似的衝了出去。一會兒，端來兩碗香噴噴、上面直冒著熱氣的餛飩，戚繼光坐在床邊，準備餵戚景通。

戚景通搖搖頭，說：『我不想吃，我想看你吃，兩碗吃得光光的，我也任務完成，可以放心走了，人生的生老病死就是這一回事。』

戚繼光一向聽父親的話，他乖乖坐在床邊，就著碗，半點食欲也沒有，眼淚再也忍不住，大顆大顆的落在碗裡。好不容易忍住了淚，用湯匙舀了一個餛飩，卻怎麼也吞不下去，喉頭彷彿卡住了，他這一輩子沒吃過這麼難吃的餛飩。戚繼光端起碗來喝口湯，因爲湯中全是淚水，鹹得不能入口。

當天晚上，戚景通過世了。戚繼光整個人呆住了。他知道父親遲早會走，卻不相信父親眞的離開人間，他的嘴張得大大的，淚水不斷奔竄，心中一遍一遍默背著《孫子兵法》：『兵者，國之大事，死生之地，存亡之道，不可不察也。』

戚繼光一面辦理喪事，一面暗暗提醒自己：『我一定要繼承家業，光大家業，把戚家的教養帶到軍隊中。』

戚繼光繼承父親，擔任登州指揮僉事。由於這個職務並不繁忙，他就

練兵讀書，並且期許自己做一個好官，勇猛進取，其他一切利害得失，全部不屑計較。

不久，戚繼光被調到山東。初上任，他就碰到一件棘手的事，他的親舅舅是低階軍官，正好受他指揮。舅舅一見到戚繼光，親親熱熱走過來，摸一摸戚繼光的腦袋，嘆一口氣道：『小光都長這麼高了，你媽媽如果還活著，不曉得有多開心。』

戚繼光覺得好窘，所有士兵都朝著他看。他不想對舅舅搬出長官的架子，可是舅舅又不識相，眞是爲難極了。另外一方面，戚繼光看到舅舅，馬上想到去世近十年的母親。母親和舅舅長得好像，都有圓圓的下巴。因此，戚繼光對舅舅又有一種說不出的親切。

過了兩天，舅舅出事了。戚繼光三令五申，戚家軍得嚴守紀律。舅舅卻犯了規，帶了幾個兵出去玩了兩天才回營。大家都等著看戚繼光怎麼處置。

經過一番劇烈掙扎，戚繼光決定照規定辦事，給予舅舅該有的責罰。舅舅臉孔脹得通紅，非常不以爲然。不過，部隊裡人人稱讚戚繼光堅持原則，不偏袒親人。

到了晚上，戚繼光把舅舅找來，『砰』的一聲跪倒地上，說：『對不起，請舅舅原諒外甥的無禮。』

舅舅原來是要發脾氣的，戚繼光這麼一跪，他反而傻了，連忙把戚繼光扶了起來，連連道歉說：『是我的不對。』

從此以後，舅舅成爲最守規矩的軍官，他對戚繼光說：『我一定發揮戚家的教養，戚家軍的紀律。』

戚繼光的誠懇，讓他化解了危機。

閱讀心得

【第1049篇】

倭寇侵擾中國。

戚繼光繼承父志，一心保國衛土，『繼』承『光』大祖宗的志業。他憂國憂民，始終擔心『倭寇』會爲中國帶來禍害。因此，寫了一首詩：

封侯非我意，
但願海波平。

所謂海波，指的就是海中的波浪。

倭寇的禍患從元末明初開始，到了嘉靖年間最爲猖獗。在十四世紀末葉，日本北朝的足利氏征服了南朝，結束了長期以來南北朝分裂局面。

南朝失敗以後，有一些武士，勾結了一些商人、農民出海掠劫，形成嚴重的倭寇之害。嘉靖二年時，日本足利氏的首領細川氏和西海路諸侯大内氏各派遣貢使到寧波。

按照規定，貨物入關的手續辦理，是依貨物到岸入港先後爲次序，可是，後到的細川氏手下，卻因爲花錢買通了管理市舶司的太監，竟然先辦理入關手續。

這時，大内氏的手下火了，和細川氏的手下大聲互罵，雙方嘩啦嘩啦用日本話吵來吵去，沒人聽懂，也沒人理睬。大内氏手下有通漢文的，前往市舶司抗議，市舶司的人翻一翻白眼，不當一回事的說：『誰先入港還不一樣？』

到了晚上宴會時，細川船的人又高坐首位。這時，大內氏船的人嚥不下這一口氣，端了一盃酒潑過去，灑在細川氏手下的臉上。於是，雙方搬出武器，飯也不吃了，大打出手。細川氏手下開溜，大內氏手下追殺，竟然從寧波一路追到了紹興。一路上，細川氏、大內氏的人馬又燒又搶，這就是當時轟動一時的『爭貢之役』。

按照道理來講，這是寧波市舶司官員接受賄賂造成的，應該處罰。但是，明朝世宗認爲，日本人討厭，乾脆斷絕和日本的貿易，禁止通商，裁撤『市舶司』。

過去有『市舶司』的時候，雖然有黑幕，但到底是公家辦理，多少還有些規矩。等到沒有市舶司，倭寇就勾結中國失業流民，從事走私、搶劫的勾當，釀成大規模的倭寇禍患。

到了嘉靖二十五年，明世宗見事態擴大，派遣右副都御史朱紈到浙江福建擔任巡撫。朱紈發現，許多退休的官員在背後替倭寇撐腰。他拿出鐵腕作風，訓練士兵，嚴格糾察，並且毫不客氣的把背後主使的豪門一一列出，上報朝廷。朱紈在調查報告中明白指出：

去外盜易，去中國盜難；去中國群盜易，去中國衣冠盜難。

（衣冠盜，指的是讀書做官卻暗中爲盜的人。）

朱紈展現了『去中國衣冠盜』的魄力，一口氣就處決了九十多個『通番』（勾結番人）的豪門。這一下子，豪門大譁，群起攻擊朱紈。明世宗

本來就是一個只擔心自己身體的皇帝，事情沒弄清楚就把朱紈關到牢裡。朱紈一心為國，卻落得這樣的下場，心一酸，就在牢中自殺。

戚繼光看在眼中，心中十分感慨，他既憤恨倭寇欺負中國，更氣惱中國豪門自己不爭氣。他牢牢記著父親的遺言，他要徹底消滅倭寇。所謂『知己知彼，百戰百勝』，戚繼光冷靜的觀察彼方——倭寇。他發現，倭寇最厲害的一招在『狠』，他們往往赤身裸體，拿起刀來，亂揮亂砍。雙方還未接觸，單單看倭寇那一股狠勁，明朝軍隊就嚇傻了眼。自從朱紈死了，倭寇越來越囂張，從上海、嘉定、杭州到無錫，一路上攻城掠地，殺人放火，可怕極了。

戚繼光再觀察己方——明朝這一方，不免讓人搖頭嘆氣。嘉靖三十五年，戚繼光奉命調防浙江，他發現軍隊紀律鬆散敗壞，毫無鬥志。

他剛到任就發生一件荒唐事。有個士兵得意揚揚，手中拎著一個血淋淋的人頭撞了進來，直嚷嚷：『這是我殺的倭寇，我要求獎賞！』

話還沒說完，外頭又衝進來一個士兵，對著血淋淋的人頭哭喊：『阿弟，你死得好慘！』他哭哭啼啼痛訴：『我弟弟打仗，負了傷，這個老林不救也就罷了，竟然把阿弟的頭割下來報功。』

這個喊冤的哥哥，長了一個特大號的鼻子，那一個被割下來的人頭，也有一個特大號的鼻子，像蓮霧一般，顯然兩人是兄弟沒錯。戚繼光不滿意的說：『難怪人們說，遇到倭寇猶可逃，遇到官軍不得生還，軍中紀律非整頓不可！』他下了重大決心。

閱讀心得

【第1050篇】

成立戚家軍。

戚繼光來到浙江以後，他深深的體認到，如果想要對抗倭寇，非得訓練一支強勁的部隊不可。因此，他向總督胡宗憲提出建議。

胡宗憲只覺得好笑，他從鼻孔裡哼一口氣，道：『我過去也不是沒練過兵，假如文弱的浙江人可練，我早就練了，還要等你來嗎？不過，既然你小子想吃苦頭，我也不便阻攔你。』

胡宗憲說得沒錯。一般而言，江南人總是比較文雅秀氣，似乎不適合當兵。但是，沒多久，一場大規模的械鬥，爲戚繼光帶來了希望。

嘉靖三十七年，義烏發生大規模的流血衝突。事情是這樣的，處州有一批礦工因爲兵荒，跑到義烏開礦。義烏人不滿的說：『這是我們祖宗留下來的寶貝，雖然我們現在不開採，也輪不到外鄉人打劫。』處州礦工卻抗辯說：『採礦是一件最辛苦不過的事，我們除了會挖礦，什麼也不會，又沒有田地可種，不讓我們採礦，豈不是要我們白白餓死？』

於是，義烏鄉民組成鄉團保衛銀礦，和扛著挖礦鏟子的處州礦工打了起來。只見一個礦工把鏟子用力揮向一名農民，這個農民身子一閃，搶過鏟子，礦工跌倒在地上，農人拖著礦工的腳，使起平生力量，把礦工甩來甩去，眾家農民一致拍手叫好，並且高聲齊唱：『處州礦工滾回去！』這個被丟來扔去的礦工，應聲而倒，農民拿起鋤頭一陣亂打。礦工也火了，個個拚死殺來，橫衝直撞，場面完全不可收拾。

地方官派出軍隊鎮壓，礦工農民這麼剽悍，這麼瘋狂，官軍傻了眼，退站一旁。衝突越演越烈，地方官一籌莫展，而且抱怨：『反了！反了！這些瘋子。』

戚繼光卻另有想法，他長哈一口氣說：『所謂一人拚命，萬夫莫敵。這些礦工農民真要發起狠來，可不比倭寇弱呀！』

於是，戚繼光一顆黯淡的心，彷彿重新點亮，他親手寫告示，張貼在義烏的大街小巷召募新兵。

招示貼了出來，地方父老大不以爲然，『這些人是罪犯哪！戚繼光眞是昏了頭哇！』

甚至有人當面指責戚繼光：『難道你想當牢頭？』

戚繼光修養好，一點也不生氣，他笑咪咪的說：『當個牢頭也不壞，只要能把倭寇消滅，也算犯人的功勞哇！』

難堪的是，告示貼出來了許多天，沒半個人前來報名。戚繼光也不氣餒，他把礦工頭目王如龍和鄉團首領陳大成找來吃飯，誠誠懇懇對他們說：『各位都是保鄉衛土的勇士，我由衷的欽佩。』

兩個頭目臉都紅了，有點不好意思，但是轉念一想，自己的確是爲鄉土奮戰，於是又坐直了身體，很高興戚繼光這麼誇獎。畢竟誰都喜歡聽好

話，何況戚繼光又是這麼眞心誠意。

戚繼光又接著說：『現在倭寇侵擾中國，這是我民族的奇恥大辱，我希望兩方面盡釋前嫌，一起保衛浙江，保衛明朝。』講到這兒，戚繼光聲音哽咽。兩名頭目本來也是有情有義的男子漢，當場拍了胸脯，說：『沒問題，我們願意保鄉衛土。』

在戚繼光的巧妙安排下，一些原該入獄的農民礦工竟然攜手入伍，成爲戚家軍的基本幹部。由於原本是烏合之衆，雙方之前又有嫌隙，剛入伍時，雙方看不順眼，你踩我一腳，我打你一拳的事，時時發生。幸好人人信服戚繼光，受訓兩個月下來，逐漸有了規矩，許多礦工和農民反而成了好朋友，眞是不打不相識。

中國人傳統重文輕武，所謂好男不當兵，好鐵不打釘。因此，農夫礦工雖然入了伍，也感佩戚繼光，但是仍然不改散漫本性，拖拖拉拉混日子。

戚繼光也清楚，有些農民是嫌種田辛苦，有些礦工是無礦可採，並不是人人都有殺敵保國的理想，而是無路可走，迫不得已，勉強入了軍營拿軍餉。

戚繼光也一針見血的提醒大家，『在公家做事，如果要混日子，馬馬虎虎也就混過去了，反正公家事就這麼回事。但是要上戰場，如果你武藝不高，倭寇就一定殺了你，你們說，該不該學武藝？』

眾人高聲喊：『該學！』戚繼光不說教，只用淺顯的道理，真摯的感情，讓士兵心悅誠服，戚家軍一天天茁壯。

閱讀心得

【第1051篇】

喝薑湯吃光餅。

嘉靖三十七年，浙江省義烏縣發生礦工和農民械鬥，地方官員頭痛不已。聰明的戚繼光卻看上了他們的彪悍，組織成爲『戚家軍』。

戚繼光研究地形，發現江南一帶江河湖港縱橫交錯，唯一能夠行軍的地方只有小小的田埂。因此，北方馬隊馳騁的作戰方法不適用在浙江。戚繼光發明了一套特殊的鴛鴦陣式。

鴛鴦陣式基本上以十一個人編爲一隊，最前面一個人是隊長，隊長背後分左右兩行，每行五個人。第一人左手持牌，右手執短刀；第二人用狼筅，所謂狼筅是用毛竹做長桿，截去細弱枝梢，削成尖鋒利刃，尖端上再加上刺刀。第三、四人用加長的長鎗，第五人用鈀釵。交戰時，以筅救牌，長鎗救短筅，短兵救長鎗，兩牌更要互救，如同鴛鴦一般牢不可分。

戚繼光還規定，作戰的時候，隊長在前，士兵跟進，如果隊長未退士兵先退，或是隊長前進士兵不進，全隊士兵一律斬首，這叫作『連坐法』。

戚繼光自己做示範，教導大家正確認識鴛鴦陣法。當戚繼光起勁的講到一半，忽然間烏雲密布，雨水傾盆而下，嘩嘩嘩的直沖下來，戚繼光彷彿沒發覺下雨似的，繼續往下講，所有的人都濕透了。雖然是江南地帶，畢竟春節剛過沒多久，又冷又濕，實在不是滋味，不時傳出呵欠聲，個個在打哆嗦。

有人小聲的說：『下雨了，戚將軍下回再練兵吧？』戚繼光聽到了，平和的回答：『我也不忍心弟兄淋雨，但是倭寇來犯會不會特別挑一個太陽普照的日子呢？』說著，他就拿起了長牌短刀，朗聲道：『現在我示範第一個人的動作。』

士兵見戚繼光不畏風雨，覺得這個長官傻傻的，但是認眞得可怕，沒有第二種選擇，也就一個口令一個動作，練習鴛鴦陣式。

一個時辰，兩個時辰，三個時辰過去了。天上的大雨下個不停，戚家軍依然精神抖擻卯足全勁訓練武藝。一直到了天黑，戚繼光下令停止操練。

這時，廚房裡端來大桶大桶的薑湯，這是戚繼光原先預備的，他親自舀了一碗又一碗給士兵喝，親切溫暖的一直叮嚀：『小心，別受寒了。』士兵像孩子一般，乖乖點頭，乖乖喝薑湯，大家都小聲談論：『這一位戚將軍，兇起來可眞兇，半點含糊不得，但是照顧起人來，簡直像媽媽。』

當天晚飯不但加菜，慰問士兵的辛勞，大夥還發現多了一種新鮮食物，一種圓圓的餅，聞起來挺香，一口咬下去極有韌性，愈嚼愈香，即使單單吃餅也別有滋味，假如掰開來中間夾肉夾菜，更是好吃得不得了。

戚繼光高聲問大家：『這種餅好吃不好吃？』

『好吃！好吃！』眾人一致叫好。

戚繼光得意的說：『這是我發明的「光餅」。各位看，光餅中間有一個洞，可以用繩子串起來帶在身上。打仗時，萬一沒地方埋鍋煮飯，大家也不會捱餓了。』這是軍中口糧的由來。

話還沒說完，一個年紀比較大的士兵竟然『哇』的一聲哭了起來。他站起來說：『自從我媽媽死後，還沒有人對我這麼好。這個世界上對我最好的人除了我媽媽，就是戚將軍，我活這麼大，除了我媽媽，誰也不關心我是不是餓肚子。』

這話一說，大家都笑了，可是也有同感。另一名士兵站起來說：『我是處州礦工，因爲活不下去只好當兵，我對官軍一向沒有好感，今天將軍陪我們淋雨，練鴛鴦陣，煮薑湯給我們喝，又發明光餅慰勞我們。將軍，你眞是一個好人哪！當官沒這樣的好人的。』

戚繼光自己也被這場面弄得十分感動，他慷慨激昂道：『做將領的，本來就應當和士兵同甘共苦，現在一般當將領的，就知道使喚士兵抬轎子，當廝役，死了也不管，傷了也不曉得慰問，甚至削減士兵的月糧，收入自己荷包，士兵睡在大街上沒吃沒喝。這樣的將領，士兵怎會好好打仗？』

戚繼光這一番話，說得大家面面相覷，有人悄聲道：『原來戚將軍也知道一般將領的情形，他卻不屑那麼做，他眞是個不一樣的好人哪！』

不一樣的戚繼光，終於訓練了一支不一樣的『戚家軍』。光餅的美味也一直流傳到今天，代表著一位民族英雄的體貼與慈愛。

閱讀心得

【第1052篇】明代的南丁格爾戚夫人。

戚繼光治軍嚴格，但是對待士兵卻又仁慈寬厚。他發明光餅，中間穿一個洞，用繩子串起來，如此軍中有了口糧，士兵不致捱餓。

光餅試吃的結果皆大歡喜，人人讚美。戚繼光好開心，三步併爲兩步，急著告訴戚夫人這一個好消息。事實上，光餅的構想來自戚繼光，但是多少麵粉和多少水，怎麼燒烤出香噴噴，韌性十足，口感適中的光餅，卻是戚夫人一次一次研究後做出來的，難怪一直流傳到今天，即使不在軍中，光餅依舊受人歡迎。

『大家都誇好吃，這全是夫人的功勞。』戚繼光由衷的感謝夫人。

戚夫人自己也拿了一個餅，在口中咀嚼道：『我自己也覺得挺香的。將軍對士兵這一份關愛，的確令人感動。』

戚繼光說：『小時候，父親教我讀《孫子兵法》，其中有一句話說，你把士兵當嬰兒，他可以和你共赴危難；你把士兵當愛子，他可以和你一塊兒死。我現在深深體會到這一句話的涵義。』

『我陪你一塊兒照料嬰兒愛子吧！』戚夫人笑著說。

戚繼光是中國歷史上了不起的民族英雄，他的夫人也和韓世忠的妻子梁紅玉一般，是軍中的靈魂人物。戚夫人雖然沒有上疆場，卻是軍中的保

母護士，士兵都愛戴她。

通常行軍時，攜帶軍眷是最大忌諱，因爲有了後顧之憂，軍士就不敢奮勇殺敵。但是戚繼光走到哪兒，戚夫人就跟到哪兒，她的出現反而鼓舞了戚繼光更加勇敢。

戚夫人不是來享福的，戚繼光個人的飲食照料衣物洗濯，固然是戚夫人包辦了，最重要的，是戚夫人負起了軍中護理的責任。只要有傷患，戚夫人不但親自慰問，更調製湯藥，成爲隨軍醫護人員。

有時戚繼光不忍心，他會對夫人說：『倭寇猖獗，百姓紛紛走避，你還是回去比較安全，我是身在沙場，準備死在沙場。』

戚夫人看了戚繼光一眼，道：『你可以爲國死，我就不能爲你死嗎？

從古到今，就沒有聽說過不死的人，倭寇欺負中國，我也要盡一分力量。』

戚繼光拗不過夫人，只好由她去了。他夫妻兩人慷慨爲國，豪氣干雲，也帶動了整個戚家軍士氣如虹。不論浙東臺州戰役或福州戰役，都打得精采漂亮。

在臺州城下，倭寇情急，竟然把搶來的金銀財寶沿路撒，希望引誘戚家軍撿拾，然後再來一個回馬槍。不料，原先爲爭銀礦大打出手的礦工農民，經過戚繼光的人格訓練，竟然紀律井然，個個路不拾遺，任何人不在戰鬥中搶掠財物，總是在戰鬥後，由戚繼光決定，平分戰利品。因此，戚家軍越戰越強。

戚夫人知書達禮，所以戚繼光許多軍國大事都和夫人商量。例如每次擊破倭寇，總會找到許多被倭寇擄掠來的婦女，這些婦女該如何安置是一大問題。

『不妨先把最漂亮的收來做妾。』戚夫人半開玩笑的說。事實上，這也是絕大多數將領的處理方式。

『戚家弟子不做趁人之危的事。』戚繼光眼睛直視正前方，『我想把她們一一送回家中。』

『送回去當然好，只怕回去以後不能得到鄉里親人諒解。認爲她們是被倭寇強占過的敗德婦女。』戚夫人緊皺眉頭道。

『即使曾經被倭寇強占，也不是她們的錯。』戚繼光大聲抗議。

『對！但鄉里認爲她們該自殺殉節。』戚夫人接著說，『我小時候，長輩就一再提起，五代時某女子護送丈夫的棺木回家，半途投宿旅舍，老闆嫌晦氣扯著她的手臂要她快走，這女子拿起刀來，便把自己的手臂給砍斷了。理由是被男子玷汙了，大家都誇她貞節。再說，明太祖的妻子馬皇后，乳房生瘡，堅持不能讓御醫診治，怕不好意思，最後因此而死，還傳爲美談。貞節二字的背後眞是殘忍。』

戚繼光一拍大腿，道：『我半夜送她們回去，就不怕鄉里閒話。』

『官軍出現，鄉里怎會不知？』戚夫人又提出疑問。

『那麼，就雇轎夫用轎子把她們抬入門，並且囑咐她們，千萬別提曾被倭寇捉住。』

於是，就這樣戚繼光夫婦暗中救了無數婦女，保住了她們的名節。戚繼光橫掃倭寇，是了不起的民族英雄，他對士兵的仁愛、對婦女的慈悲，在在表現戚家的教養。他始終是他父親戚景通的好兒子。

閱讀心得

【第1053篇】

戚繼光寫兵書。

戚繼光爲了打敗倭寇，保國衛民，著實花了不少心血，勝利的背後，更有許多辛酸的故事。

倭寇入侵中國之初，所到之處，幾乎大獲全勝。戚繼光曾經躲在草叢裡，暗中觀察倭寇出兵的招式。他發現，每一個士兵都雙手握刀，刀長不過五尺，雪白鋒利。首領手上拿著一把摺扇，當摺扇向空中一揮，所有士兵刀鋒一律向上，人們被這整齊劃一的動作吸引的時候，刀鋒一轉，許多中國士兵的腦袋就活生生落地，手法俐落、劃一、乾淨、恐怖！一場戰爭，就在首領摺扇的巧妙指揮下，一片刀光閃耀，彷彿變魔術一般。

日本的民族性生來就服從團體紀律，我們看到日本旅行團的導遊，也是靠一根小旗子，讓團員們乖乖跟著導遊行動。

戚繼光緩緩的從草叢中爬出，望著明朝士兵陣亡的屍體。戚繼光心想，中國人一向比較散漫，天高皇帝遠，自由自在慣了，要跟倭寇拚鬥，還眞是不容易啊！

沒多久，戚繼光又見識了另一場倭寇作戰。首領用摺扇指揮，這是小股兵隊的作戰法，當倭寇遇到大批部隊時，他們更有一套恐怖的戰法。

倭寇白天不作戰，就固守營地。中國軍隊習慣白天打仗，白等一天十分無聊，到了黃昏，天色暗下來，也是中國大兵習慣該回去休息用餐的時間了，大家的心情都懶散下來。

突然，倭寇大叫一聲衝了出來，盔甲上全是金銀牛角，又綁了五顏六色的垂帶。朦朧暮色中，中國士兵冷不防見到，嚇得大叫：『媽啊！』又看到倭寇猙獰兇狠的臉孔，直覺見了鬼。因此，這些『鬼』在短短的時間內，就砍殺了許多中國兵。

倭寇一手執刀，一手拿明鏡，光光閃閃，照來射去，更增添了鬼魅的效果，明朝士兵幾時見識過這種怪物，個個背脊發涼，手腳癱軟，完全無法抵抗。

戚繼光看在眼裡，他認爲明朝軍隊是敗在『恐懼』兩個字。恐懼讓明兵怯敵，他也要利用人性中的『恐懼』，逼使明兵殺敵。戚繼光不得不採用連坐法——一個人退卻，一個人斬首。全隊退卻，隊長斬首。隊長殉職而全隊退卻，就全隊斬首。

戚繼光嚴格的執行這一項命令，每一次執行的時候，他的心都一陣一陣的抽痛。但是，如果不這麼做，要怎麼打敗倭寇？豈不是有更多百姓遭殃？戚繼光只要腦中浮起倭寇燒殺擄掠百姓的慘狀，他就對自己說：『非消滅敵人不可。』

戚繼光自小便跟著父親學兵法，看地圖。他不但會看地圖，自己還會畫地圖，他用黑色代表倭寇的地理位置，用紅色代表明軍的所在地，另

外，他用七百四十個珠子計時，根據標準步伐計時每走一步，挪動一個珠子，讓他精準的計算時間。

戚繼光善用地圖，輔助念珠計時，再加上訓練有素，比倭寇更吃苦耐勞的士兵，而獲得一場一場勝仗。他擅長速戰速決，大家痛快。有時候，出擊時，伙食兵正開始做飯，等到全隊收兵後，飯才剛剛蒸熟。

當然，也有沒法子回來吃飯的時候，這時的戚家軍比倭寇更沈得住氣。有一回，戚繼光料準了倭寇一定進攻浙江處州。他派了一支軍隊埋伏，爲了避免倭寇事先察覺，每人頭頂手執一束松枝，做松樹狀，就這麼捱了一天一夜。果然倭寇來了！首領先登上山峰視察。倭寇一向認眞小心，這時只要任何一個士兵喘喘氣，倭寇首領就發現了。但是，首領在山上，欣賞了半天蒼松，又深深呼吸，不疑有詐，於是下令過夜。等到倭寇軍隊過了一半，炮聲『轟隆』一響，士兵丟掉手上的松枝，大聲殺出，震撼山谷。戚家軍大獲全勝。

戚繼光自小跟著父親唱軍歌，他從嘹亮的軍歌中，得到不少雄壯威武的力量。因此，他自己也喜歡唱軍歌，甚且自己作了一首軍歌教大家唱：

萬眾一心兮，泰山可撼；
唯忠與義兮，義沖牛斗！
主將親我兮，勝如父母；
干犯軍法兮，身不自由。
號令明兮，賞罰侯，

赴水火兮，敢遲留，

上報天子兮，下救黔首，（百姓）

殺盡倭奴兮，覓封侯。

此外，他還寫了一本《紀效新書》，這是戚繼光帶兵以來的經驗總論。『紀』是紀載，『效』是實際效果，表示絕不是空泛的理論，是他從父親那兒確實學到了孫子兵法。《紀效新書》，是一代儒將親身的具體成果，他把這一切獻給了父親，表示他的確『繼』續『光』大祖業。

國家圖書館出版品預行編目資料

全新吳姐姐講歷史故事. 49. 明代/吳涵碧 著.
--初版.--臺北市；皇冠，1999〔民88〕
面；公分（皇冠叢書；第2946種）
ISBN 978-957-33-1646-6 （平裝）
1. 中國歷史

610.9　　　　　　　88007060

皇冠叢書第2946種
第四十九集【明代】
全新吳姐姐講歷史故事〔注音本〕

作　　者—吳涵碧
繪　　圖—劉建志
發 行 人—平雲
出版發行—皇冠文化出版有限公司
台北市敦化北路120巷50號
電話◎02-27168888
郵撥帳號◎15261516號
皇冠出版社(香港)有限公司
香港銅鑼灣道180號百樂商業中心
19字樓1903室
電話◎2529-1778　傳真◎2527-0904
印　　務—林佳燕
校　　對—鮑秀珍・第一編輯室
著作完成日期—1998年12月
香港發行日期—1999年07月09日
初版一刷日期—1995年07月15日
初版二十七刷日期—2021年05月
法律顧問—王惠光律師

讀者服務傳真專線◎02-27150507
電腦編號◎350049
ISBN◎978-957-33-1646-6
Printed in Taiwan
本書定價◎新台幣150元/港幣45元